天命に生きて

―上江洲文子　波瀾万丈の半生―

徳田安周

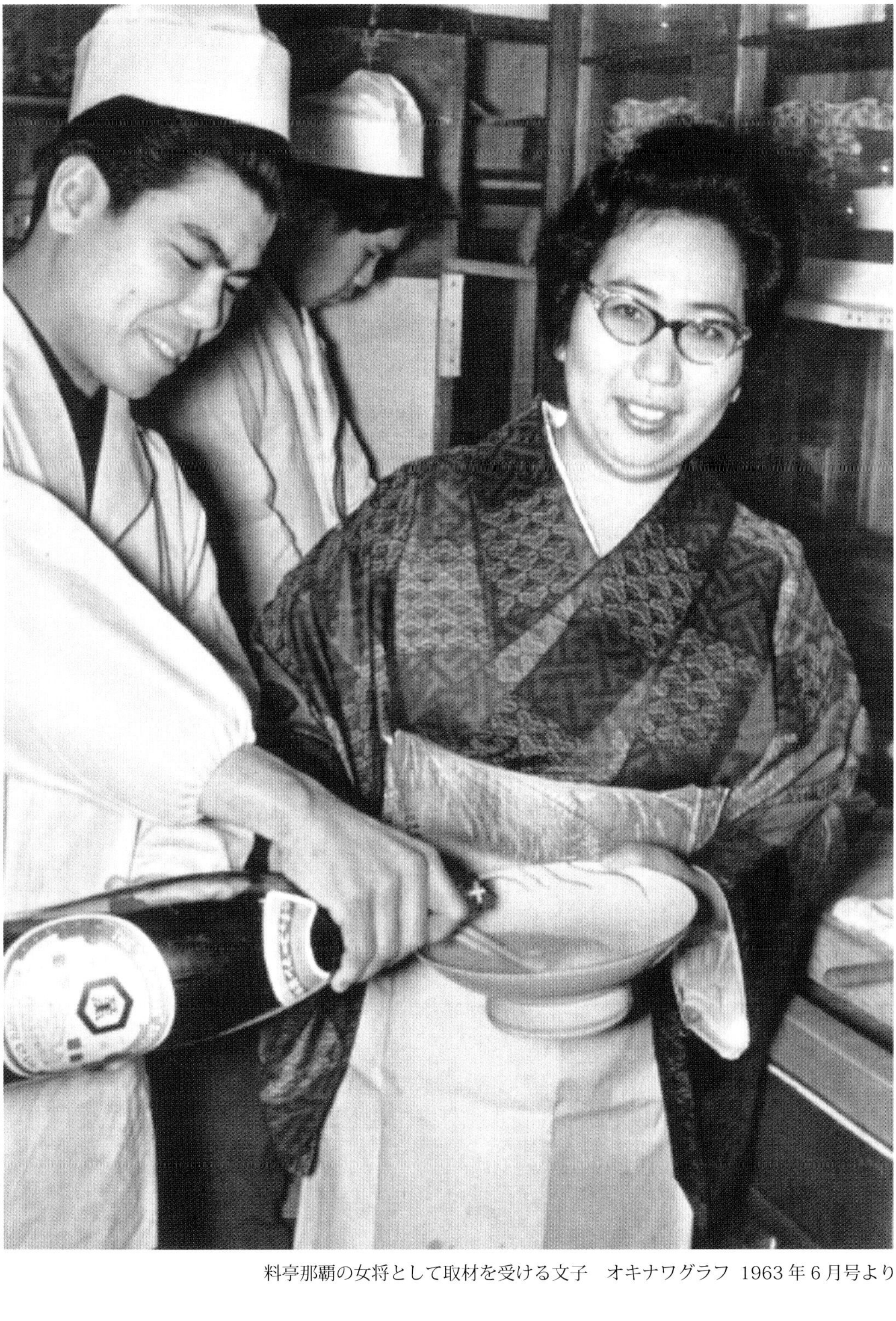

料亭那覇の女将として取材を受ける文子　オキナワグラフ 1963 年 6 月号より

序文

「花は紅、柳は緑、人はただ情け」

「情ゆり他に頼むしやないさめ、情無ん人や頼みぐりしや」。

上江洲文子は、大正二（一九一三）年、八重山群島の一つ黒島で呱々の声をあげた。出生から今日まで数奇な運命、星の下に過ごしてきた彼女の現在の心境は、冒頭の古い琉歌である。

夫は沖縄戦で戦死し、姑と五人の子を抱えた一人の寡婦のたどった人生コースは、波乱万丈の軌跡である。泥にまみれて豚の購入、飼育などを基金に、ホテル経営、料亭開店と苦闘をつづけた彼女は、赤ん坊の時に他人に引き取られて久米島へ、さらにその養母に花の色街辻に売り飛ばされたが、不屈にも泥沼から這いあがり、四人の子女を高校大学に進学させ、社会人に育てた。

石垣市川平湾頭に〝子育て人魚〟の顕彰碑が建立された。慈母、賢母のシンボルとして展示されたが、そのシンボルは上江洲文子の化身ともいえる。人魚（ジュゴン）の故郷は、彼女が開発した八重山新城島下地のパナリ牧場前の内海である。

月夜の浜辺でむせび泣く人魚は哀感をそそる幻想のヒロインだが、南海の人魚は幼児に乳をふくませる赤銅色の、筋骨たくましい〝子育て人魚〟である。

火難、水難、人災と幾多の試練に直面する。そのつど難を免れ、再建再起出来たのは、本人の不撓不屈の土根性にもよるが、亡夫の警察仲間の〝愛のリレー〟も見逃せない。

間もなく八十歳を迎える彼女が、報恩感謝の思いを込めて「私の生きざま」を披露したのがこの小著である。この書こそ美と醜の両極をなす、一人の女の執念の記録でもある。

徳田安周

太陽《てだ》の許で出生

大正二（一九一三）年三月十五日、上江洲文子は八重山群島の一つ、黒島で生まれた。父は奥間政次、母はマナシーといった。祖父の奥間政仁は、王朝時代の政治犯で首里から黒島に流刑にされたという。

その頃の黒島は、それこそ本当の絶海の孤島であった。石垣島からの便船は月に一度か二度しかなかった。水のない島でもあった。明治の世も終わり、大正時代になってから、黒島に近い西表島は炭鉱景気でにぎわっていた。文子には三人の姉と一人の弟がいた。貧農の家で、両親とも日中は畑に出て野良仕事をする。いわゆる水呑み百姓の家庭であった。

文子の出産は、まったく予期しない時に起こった。臨月の母が隣家の人たちの助けを求めようとして、ガジュマルの大木の陰にあえぎながら這い寄った時に、文子を生み落としてしまった。

近所の人たちが、やっと駆けつけて、家の中にかつぎこんだ。その間、文子は太陽の光をまともに浴びた。

「この子はてだ（太陽）の光を浴びて生まれたのだから、きっといいことがあるだろう」と茶のみ話にも出たらしい。

文子がヨチヨチ歩きのころ、家を建てるマキやクロキの用材を西表島から取って来るために、黒島の若い人たちが十人ぐらい一団となって島を出た。その頃家を建てるのにはイーマールー（輪番制）といって、今年はこの人の家、来年はあの人の家という風に共同作業で用材を取りに出かけたものである。

大正四年頃、西表島は炭鉱景気でわいていた。文子の父たちもその島に出かけた。西表島で同じ奥間姓を名乗る、小売商店の人がいた。その店の主婦を、みんなが「炭鉱アヤー」と呼んでいた。小金を持ち、かなり裕福な暮らしだったのでアヤー（奥さま）という尊称を奉られたのである。

島で何日も用材の伐採をしているうちに、文子の父親は「炭鉱アヤー」の夫婦と顔なじみになった。おなじ奥間姓という親近感もあって、「いつか黒島に遊びに行ってみたい」と言い、父も「ぜひいらっしゃい」と歓迎した。〝国兄弟〟といって、同姓の者同志がそのような親近感を持つのは、ごく自然の成り行きだった。

国兄弟に連れ去られる

それから一、二ヵ月経って、〝国兄弟〟である奥間夫婦が、西表島からクリ舟で黒島にやって来た。そして何ヵ月か文子の家に滞在した。

文子の両親は毎日野良仕事に出かけるので、留守番の奥間夫婦は「ミシクーガ」になりたいと願うようになった。つまり、子宝に恵まれない夫婦が乳呑み児と一緒に添い寝すると、必ず受胎して子供が生まれるという信仰である。

昼間いつも可愛がってくれるので、幼い文子は奥間夫婦を本当の親と思うようになったらしい。そうなると、奥間夫婦も情が移って「この子を家の養女にしたい」と文子の両親に頼んだが、両親は文子よりも上の姉をもらってほしいと答えた。しかし文子の姉は、もう親の顔も覚えて知っているので具合が悪い。まだ分別もつかない幼児の文子をもらった方がよいといって譲らなかった。

そのうちに奥間夫婦は西表島に帰ると言い出し、文子の母に「弁当をつくってくれ」と頼んだ。言われるままに弁当をつくって「保里」の港に持っていったら、奥間夫婦は発動機船で二歳になった文子を連れたまま西表島に帰ってしまった。

二人が西表島から乗ってきたクリ舟はそのまま海岸に置いてあった。

「まあ、あんなに可愛がっていたんだものしようがない。しばらく預けておいてもいいだろう」と文子の父は言い、母も納得した。

それから一ヵ月経ち、二ヵ月経っても連れて来ないので、これではいけないと思い次の伐採のイーマールー（共同労務）の時に、文子の父が西表島まで行ってみると、奥間夫婦は店をたたんで沖縄に帰ったという。初めて子供を盗まれたことが分かったが、沖縄のどこに行ったのかも分からず、二人の親は途方に暮れた。

実父もマラリアで死亡

それから何年か経って、久米島の人たちが偶然にもカツオ漁のため黒島に来て何日か滞在した。その中の一人が「珍らしいこともあるものだネ、お宅の娘さんとまったく顔立ちの似た娘が久米島にいますよ」と話してくれた。それを聞いた文子の実母は「これはてっきりウチの娘」だと直感した。そして渡航する金ができたら、久米島へ文子を引き取りに行こうと肚を固めた。

その頃、次のイーマールーで父親は西表島へ十人組んで伐採に行ったら、みんな悪性マラリアにかかってしまった。十人とも発病したまま黒島に帰り、ほとんど亡くなったが、文子の父・政次も妻子を残して他界した。

夫に先立たれ、四人の小さな娘たちを抱えた母の嘆きは想像するに余りある。女手一人ではどうにもならないので、母は再婚して女の子、つまり文子の異父妹が生まれた。

二歳のときに久米島に連れていかれた文子は、八歳になるまで養父母の家で育った。ところがこの養父は、仲間四人とともにイカ釣りに出かけたまま行方不明になった。旧暦の二月カジマヤー（季節風）の頃で、天候が急変したのである。文子が四歳の時である。養母はあきらめているようだったが、文子は「かあちゃん、ターリー（父）はきっと生きているよ、天の神様がそう言っているよ」と養母を力づけ慰めた。

文子は実の母の顔を知らず、養母を本当の母親と信じきっていた。幼い文子が浜に行って龍宮神に祈願をこめている姿を見て、村の人たちは「ワラビ神（文子のこと）の言うことは当たるよ、あきらめないで帰りを待ちなさい」と励ましてくれた。

気を揉ませた養父たちの船は、ものすごい時化に翻弄されながらも八重山の竹富島に漂着した。黒島とは目と鼻の距離にある島である。食いものも水もなく、芭蕉布を口にはさんで目だけ開いていたという。

竹富島の人たちに助けられて、ようやく命びろいをした。役場の人たちが遭難した四人から状況を聞き、知人友人がいるかについて一人ずつ尋ねた。文子の養父は「八重山には知った人は一人もいません」と答えたという。あとでこのことが分かり、あの奥間夫婦は「本当にウチの子を盗んだのだ」と怒った。養父は山っ気の強い性格で、文子が六歳のときに大東島に出稼ぎに行くと言って、久米島を出たまま帰ってこなくなった。

住み込みで子守りに

仕方なく文子は子守りに雇われた。真泊という、漁民集落まで家から一里（四キロ）も離れた遠方へ住み込みで子守りになった。文子のかすかな記憶の中に次のようなことが鮮やかに残っている。真泊は漁港である。いつか沖に出た漁師が大漁で帰ってきて、島の海岸にいる人たちにタダでグルクン（県魚）を投げ与えてくれた。もう日暮れ時であった。いつも住み込みの子守り奉公、それがたまに魚を三尾ももらえたのだ。

文子は浜辺に投げ与えられた三尾の魚をひろって小枝に通し、赤ん坊をおんぶしたまま、一里もある我が家までトボトボ歩いて行った。この魚を養母にあげたいとの一心からであった。ところが三分の一

ぐらいの道中で、日はとっぷり暮れて暗夜になった。ハブも怖いし心細く、本当に心脅えて一歩あるくのがやっとであった。

やっと家の明りが見えた。アヤーヨー（かあちゃーん！）と大声で泣いた。この養母に三尾の魚をあげたいために命がけで夜道を駆けて家路に着いたのだ。その健気な孝心に、養母も文子を抱きしめて泣き崩れた。

このあと養母のところへ、島にいる口入れ屋がしつこくやって来て口説いた。

「娘は年頃になると、みんな紡績女工になって大阪に行くよ。大阪に行ったらあんたはどうなる。那覇には辻という花の街がある。そこに売れば、大阪にもやらずにあんたも助かる」

といって勧めた。養夫も分からず、養母はずいぶん迷ったらしい。それでも渋っていた養母に、口入れ屋は「学校も出してやる」と言った。これにはさすがの養母も「ここでは学校にもやれない。そんな条件なら」と思い、とうとう百二十円で文子を辻遊廓に売る決心をした。

辻遊廓に売られる

文子が久米島の養母により百二十円で売られた辻遊廓の店は、中道の「那覇亭」であった。大正八年のことである。絃歌さんざめく色町の辻は不夜城のにぎわいだった。

端道《ハタミチ》、中道《ナカミチ》、後道《クシミチ》、上の角、グーヤーのチビと豪華な瓦ぶきの二階建てや三階建てといった店が並んで遊客の足の絶え間がなかった。人力車もガジュマルの並木道を景気よく走り回り、寿司屋、まんじゅう売りなどが夜通し声高らかにふれ歩いて商売をしていた。

抱え親のアンマー（楼主）は、久米島の文子の養母との約束を守って、彼女を松山尋常小学校に入学させてくれた。辻の抱え親の姓をとって、文子は「比嘉」と名乗った。同級生には文子と同じ境遇で、辻に売られてきた比嘉ヨシ子がいた。すでに亡くなったが、この人が後に糸満の神谷病院の奥さんとなった人である。

学校に入ったものの、辻というところは夜の世界で、深夜の十一時頃までタバコ買いにやらされたり、いろいろな雑用で早く寝ることもできなかった。朝は遅く起きるので、夕べの残飯をかきこんで一人で登校した。その残飯もない時があった。そんな時には、隣家の仕出し屋に上級生のお姉さんがいたので、そこで朝食を食べさせてもらったりした。遅刻しがちで、いつも肩身の狭い思いをした。

三年生の頃だった。ある日の朝、アンマーが文子に五十銭銀貨を与えて「東町の市場に行ってお茶を買ってきなさい」と言いつけた。文子は五十銭玉を持って、おいしいお茶を売っている東町の市場に向かった。ところが、途中で明視堂という店のショーウィンドーに、沖縄では初めての水泳着が展示されていた。たまらなくほしくなって、正札を見たら、ちょうど五十銭だった。文子は欲しくてたまらず、子供心はついフラフラとなって、その黒色の水泳着を買った。その足でナンミン（波の上）の海岸に行って、朝から夕方まで泳いだ。ようやく西の海に陽の沈む頃に陸に上って、髪を干して身仕度をし、辻町の店に帰った。

店に着くとアンマーは物凄い形相で、

「今頃までナニしていた。お茶はどうした」と問いつめられた。

仕方なく、水着を買ってナンミンで泳いで来たと白状した。

アンマーは「ヌーイーヒャー、クヌ、フリムン！（ナニーッ、このバカたれ！）」と激怒した。その罰として三日間、押入れに入れられた。学校ももう出さないと言う。その三日の間、文子は親を怨みつづけた。どうして私を産んだのか、産まなければこんな苦労もしないで済んだのに…と思った。

三日経って、やっと押入れから出された。廊下に薪を三本並べ、その上に坐らされ「これから二度とあんなことはしません」と詫びを入れた。学校にも行けなくなった。何日か経って担任の与儀先生（この先生は後に久米町の神村家に嫁いだ）が、文子の級友四、五人と一緒にやって来て、

「私に免じてどうか許して、学校にも出させて下さい」

とアンマーに懇願したので、やっと復校することができた。

毎年秋になると、那覇市内八校の連合大運動会が奥武山公園で行なわれた。級友たちの父兄や親戚は、夜のうちから泊りこみで場所の取り勝負をした。ムシロを敷いての見物である。ところが夜の遅い稼業の辻では、どうしても昼の弁当を届けてくれることができない。みんな重箱にご馳走をいっぱい詰めて来ていた。昼食の時間になっても、文子は空腹を抱えたまま、老松の下でしょんぼりうなだれていた。親のない子のみじめさが骨の髄まで染みこんだ。そこへ級長をしていた真玉橋ハツさんが、

「あんた弁当は？」と心配してきた。

「ウチは夜遅いので間に合わないのよ」と文子はベソをかいた。お腹の虫が空腹のためグウグウ鳴る。真玉橋さんは、さっそくおにぎりと干ぴょうのお惣菜を文子に持って来てくれた。その美味しいこと！人の情にホロホロと涙が出てとまらなかった。真玉橋さんは、後に那覇市の教育委員会に勤めていた武村朝伸さんに嫁いだ。今なら児童福祉法というのもあって、あのような虐待をできる筈もないが、昔のあの頃の文子の置かれた境遇はそんな苛酷な状態だった。

八重山の黒島から実母

大運動会では松山尋常小学校を代表するリレーの選手になった。必勝の意気に燃えて、文子は毎日、練習のため奥武山公園の陸上競技場へ級友とともに通っていた。

練習に励んでいたある日、二人のオジサンが久米島の養母からの使いとして店にやって来た。

「お母さんが干しダコやイカを送ってあるので、明日渡地の久米島宿に取りにおいで」と言う。母からのお土産と聞いて文子の心ははずみ、うれしかった。

「運動会の練習が夕方までには終りますから、その頃いただきにあがります」

と返事しておいた。その翌日の夕方、公園での練習が終わったので級友四、五名と連れ立って那覇港内海に架かる明治橋を渡った。その頃の北明治橋は、対岸の垣花との往来で人力車、自転車、人々が足しげくごった返していた。

橋を渡りきって、渡地側に着いた時だった。橋のたもとに一人の色の黒いオバサンが立っていた。四、五人並んで歩いてくる文子を見つけると、走り寄って文子の腕をつかまえた。文子はギョッとした。見たこともない、色の黒いオバサンである。そのオバサンは文子の腕をしっかりとつかまえ、はては抱き締めて、さめざめと泣いた。聞きなれない、意味も分からぬ八重山の方言で、絶叫に近い声で文子の頬に顔をすり寄せ、手をつかまえホロホロと泣く。

文子があっ気に取られていると今度はたどたどしい標準語で、

「あんたの本当のお母さんだよ。あんたには、姉も弟も叔父さんも叔母さんも、たくさん黒島にいるんだよ。船が明日出るから一緒に帰ろう」

と言う。驚いて立ちすくんでいた級友たちも、実母の切ない叫びを聞いてもらい泣きした。そして、

「比嘉さん（文子の当時の姓）、お母さんと一緒に八重山に帰りなさいよ」と言ってくれた。

「でも、先生には何にも言わずに帰るの？」

「先生には私たちが言っておくから、お母さんと一緒に島に帰りなさいよ」

と口々に勧めてくれた。

この騒ぎを聞き、夕べの久米島の使いというオジサンが駆けつけた。

「往来ではみっともないから、とにかく宿に来なさい」

と勧め、文子の手を引っぱり級友たちとともに久米島宿に立ち寄った。その間も、黒島の実母は文子の手を強く握りしめて放さない。やっと座敷に通されて、母が事情を話し出した。久米島の人にこの子

が盗まれてしまったことをこまごまと話したので、聞いている人たちもみんなもらい泣きした。しかし文子は心の中で、店の姐さんたちで逃げ出した遊女が警察に捕まって連れ戻された例を何回も見ているので、無断で店を飛び出してもすぐに警察に捕まることを知っていた。そこで一応店に帰って、抱え親にワケをいって黒島に帰ろうと思った。そして「明日の午後二時までに、ここに必ず来るから待ってて頂戴」といって辻の店に帰った。実母はそれでも心配でたまらないらしく、外に出て文子の姿が見えなくなるまで立っていた。

文子は店に帰るなり、抱え親のアンマーに切りだした。

「アンマー、私の本当のお母さんという人が私を連れに来たよ。船が明日出るから、一緒に帰ろうと言っているよ。私は久米島のお母さんの本当の子ではなく、盗まれて久米島に連れて行かれたというじゃないの。だから私は、本当のお母さんと一緒に黒島に帰るよ」

これを聞いたアンマーの形相は凄かった。

「ヌーイー、イャーヤ（お前は何をいうの）。その人こそ人盗人だよ。ドロボーだよ。お前をだまして、西表の炭鉱に売り飛ばすつもりさ。さぁ、どんな人か、今すぐ私に会わせなさい！」

そう言われると、文子もどっちが本当の実の母親か、分からなくなってしまった。久米島の養母を本当の生みの親とも思った。イカや干しダコまで送ってくれるほど情愛の細やかな養母である。あの暗い夜道を、もらった三尾のグルクンを母に食べさせたい一心から赤ん坊を背負って一里も泣く泣く歩いた記憶が、昨日の出来事のようによみがえった。

「アンマーの言う通り、あのオバサンは私をだまして西表の炭鉱に売り飛ばすつもりかも知れない」

そう思ったので、黒島には絶対に行くものかと思った。組踊「女物狂」の人盗人の話や探偵小説の誘拐魔の話も知っていたので、あのオバサンこそ人盗人ではないかと考えたりした。

実母は久米島から来たカツオ漁の人たちにも日当を払い、無理算段して沖縄まで来たのに、せっかくの願いも水の泡と消えた。約束の時間になっても文子が来ないので、泣く泣く帰りの船で発ってしまった。

黒島の実母が再び上覇

黒島では、てっきり母が文子を連れて帰ってくると思って待ち焦がれていたのに、文子の姿はなく母が一人しょんぼり帰ってきたので、姉も親戚の人たちもがっかりして泣いたという。しかしそれでも、黒島の実母は諦めなかった。六カ月も経った頃、今度は当時の石垣町長の叔父に当たる仲本という町会議員に頼んで再び上覇した。

ここで養母のアヤーと文子の実母が、町会議員立ち会いで辻の店で対決した。

黒島の母は両袖をたくしあげて、

「あんたはよくも人の娘を盗んで、おまけに辻に売り飛ばしたな。さぁ、今度は何がなんでもこの娘を連れて帰るよ。あんたが売った百二十円も準備してきたから連れて帰るよ」

と意気込んだ。

ところがこれにひきかえ養母のアヤーはゆったりと少しもあわてず、

「あの時、この娘がほしいと言ったらこの子はまだ乳離れもしないからと言って断った。上の娘ならあげてもよいと言ったでしょう。その上、私たちのクリ舟も島に残してあんたにやったではないか」

と言う。さらに、

「この娘はもうウチの戸籍に入れてあるから絶対に帰すわけにはいかない」

と譲らない。

仲に立った町会議員も裁判に出すつもりで来たが、この事情を見て本人の意思に任せるほかはないと思った。

その前に店のアンマー（抱え親）のおばあさんが、文子をひそかに別の間に呼んで言うには、

「あなたは八重山に帰ったら哀りするよ。百性になり、カラヒサー（はだし）になってハルサー（百姓）の嫁にしかなれないよ。それに酒のみの夫でも持たされたら、大変なことになるよ」

と諭した。

酒乱の夫と聞いただけでも身震いがしたので、このおばあさんの忠言に従って黒島には行かないことに決めた。また八重山には知っている友人もいないので、黒島行きを断念することにした。那覇には友人も多いし学校も楽しい。

「ここにおれば、学校も出してもらえる」

とも言われ、よけい那覇が好きになった。

結局親類縁者の助けでかき集めた百二十円も、実母はそのまま持ち帰ってしまった。まるで大岡裁きのような破目になってしまった。これが運命の岐れ路と言おうか。文子はそのまま那覇の店に居残り、実母の許には帰らなかった。

タダで映画見物

その頃、子供たちにはこれという娯楽は一つもなかった。文子のいる店の辻界隈では、女の子たちはかくれん坊（カチミンソーリー）か、石ナグー、縄とび、走りっこの遊びしかない。男の子は「坊主打チェー」であった。

活動写真を見るのは、子供たちにとっては高嶺の花でとても手が届かない。しかし、文子の店の常連で、石上さんという沖縄で最初の活動弁士がいた。いつも文子はタバコ買いに使われたりして顔なじみであったので「活動写真見たかったらいつでもおいで」と言ってくれた。文子はその言葉を信じこんで、ある日友だちに「活動写真を見せてあげるから私についておいで」と言った。みんな大喜びで石門の平和館に出かけた。「石上さんに会いたい」と言ったので、石上さんが出てきて何気なしに「ああ文ちゃんか、入ってもいいよ」と言う。そこで文子一人かと思ったら、なんと後からゾロゾロ十人余りも館内に入ってしまった。その見料は石上さんが払う破目になった。

あとで店に来て、お座敷で姉さん株の妓たちにこのことをしゃべったので、アンマーの耳に入りこっぴどく叱られた。文子はどこか勝ち気で、親分肌の持ち主でもあったのである。

受検・進学を断念

文子はこうして再び学校に通うことになり、五年生に進級した。二学期になると学校ではもう女学校への受験、進学の話で持ち切りだった。

「ウチの父ちゃんがね、合格したらオルガンを買ってくれると言っているよ」

一人が言うともう一人は、

「ウチではお母さんがすごく上等なミシンを買ってくれるんだって」

そんな級友の楽しげなおしゃべりが文子の心を傷つけた。居ても立ってもおれない気持ちだった。とても女学校なんかに出してもらえる身分ではない。そう思うと、もう学校に通うのが苦痛になった。同じ境遇の比嘉ヨシ子さんも文子と同じ気持ちで、二人して辻原の墓地で話し合った。

「仕方がないね。もう学校に行くのはよそうよ…」ヨシ子もうなずいた。

西の海に沈む落日の美しさも二人の目には入らなかった。花の街に売られて、人並みの教育も進学も叶わず、暗澹とした灰色の人生が二人の前途に横たわっているだけだった。せめて紡績女工にでもなって、大阪で働けたら…と思うのに、それも叶わなかった。

琴や踊りの稽古を始める

こうして小学校も五年生で中退して、文子は当時舞踊の名手といわれた玉城盛重翁について琴の手ほどきを受けることになった。玉城盛重翁の稽古場はウガンビラー（現在の料亭松の下あたり）にあった。二階建ての割に広い部屋で、そこは踊りの稽古場でもあった。琴は以前から少し弾き覚えていたが、抱え親の勧めもあって本格的に稽古しようということになったもので、まず「恩納節」に始まり「滝落菅攪」から「地菅攪」「江戸菅攪」「拍子菅攪」「佐武也管攪」へと進んでいった。盛重翁はその後、辻中路に移ったが、その頃には「六段」「七段」も弾けるようになった。さらに「長伊平屋節」「茶屋節」なども弾きこなせるようになって、踊りも稽古することにした。

「諸屯」「伊野波節」の古典女踊りを始めたのは十七歳の頃である。確か稽古場には田代たか子さんや県立第二高等女学校の先生方、沖縄朝日の記者だった渡久地政憑さんらも見えていたと文子は覚えている。文子が舞踊に興味を持ち出したのは、護得久朝章さん、又吉康和さん、名渡山愛順さんらの勧めもあったからである。戦後になって琉球大学開学の祝いで「伊野波節」を踊ったが、それも護得久さんの指名であった。

とにかく文子は稽古に励んだ。大和正月（新正）には女性の地謡と二人で那覇の素封家の家々を回り、踊りを披露したこともある。当時は親泊興照さん、翁長のターリーという芝居の人たちも家々を回って

踊りを見せていたが、親泊さんの「伊波節」に感動したのも、生々しく文子の頭に残っている。

国際婦人デーに出席

その頃、沖縄で廃娼運動が起きた。那覇市の公会堂で開かれた国際婦人デーに文子たちも出席したが、大会の中で、一人の婦人が演壇に立ち「私の夫は連日辻の遊廓に入りびたって家庭を省みず、私は子供を抱えて苦労している。早く辻遊廓を廃止しないといけません」と大演説をした。

文子はすかさず立ち上って反論した。

「私たち辻の女は、何も自分から好きでなったものではありません。皆さんのように裕福な家庭に育ち、辻通いをするほどゆとりのある夫を持つ人と違い、私たちは辻にでも子供を売らなければ日々の生活もできない貧しい家に生まれたのです。公娼廃止運動も結構ですが、その前に貧乏人の窮状を救って下さい。ただ上べだけを見て、現実をよく知らないままに辻の女たちを蔑視するのは間違っていませんか。辻の通いをする夫、辻通いをさせる妻、それはなぜなのか。その現実をしっかり認識して下さい」

文子は遠い八重山の黒島から久米島の人に連れ去られ、辻に身売りされた自分を顧りみながら堂々と意見を述べた。これにはさすがの婦人運動家たちも黙ってしまった。後で聞いたことだが、人びとは文子のことを「演説カマデー」と呼んだそうである。半分恐れをなし、半分皮肉を込めたアダ名だったのだろうが、いずれにせよ当時としては筋の通った意見だったと言われていた。

カマデーとは、当時の文子の辻名（チージ名）である。だからといって文子は固くなな理屈屋ではなかった。辻に務めながら弟を工業学校に通わせ、ルイレキを患っていた妹を家に帰す旅費をつくったりしながら、客の接待にも気を配る優さがあった。

久米町の教会に通う

辻で育った彼女は思春期を迎え十七歳になった。その頃から那覇市久米町のバプテスト教会に通い、照屋寛範牧師の説教に耳を傾けるようになった。イエス・キリストは悔い改めればどんな罪人でも許して下さるとの話に、十七歳の彼女の心は大きくゆれ動いた。その頃、教会の近くにあった東恩納ミエさんの家で裁縫を習いながら教会に通った。

日曜日が待ち遠しく、教会の門をくぐり、讃美歌を歌うようになった。

罪の渕に陥入りて、沈みゆく人々に
救いの船漕ぎよせよ、雨の日も凪の夜も一人だにも滅ぶるは
御旨ならじ助けよ…

切々と歌う讃美歌の一節々々が、文子の心に安らぎと希望を与えた。そのひたむきな信仰の姿に照屋牧師も心打たれ、神学校への入学を熱心に勧めた。学費も教会から出してあげようという親切な勧めだった。

けれどもよく考えてみて、これは諦めるよりほかはないと思った。神学校への入学は、それこそ地獄から天国の門に昇るようなまたとない福音である。しかし「囲いもの」という足かせははずすことはできない。結局、感謝しながらも丁重にこの勧めを断った。

千五百円で身請け

文子は舞妓になってお座敷に出るようになった。やがて那覇でも指折りの金満家である平尾本店の若旦那が文子を見染めて、千五百円で彼女を身請けしてくれた。辻は昭和十年代まで沖縄の社交界の中心的役割を果たし、政財界の要人、教育界の指導者、商工業、それに砂糖景気の頃ともなれば農民たちも出入りする、一種独特の社会を作っていた。

辻にはまた、独特の信仰があった。祭りと祈りは辻にとって欠かすことのできない大行事であり、特に「二十日正月」には盛大な「ジュリ馬行列」を見るために、地方からも大勢の観覧者が詰めかけた。同時に礼儀に徹した社会でありながら、一方では引き入れた客と家庭的な雰囲気を醸し出していた。単なる妓楼というより、人情に包まれた遊廓として他県の人たちも辻に親しむ人が多かった。

もちろん、辻には身請け制度もあった。文子が十八歳になったとき、抱え親（アンマー）に勧められて平尾喜一さんという立派な方を旦那に持つことになった。辻の社会では妓が年頃になるとアンマーが客選びに入る。それにはアンマーの眼鏡にかなった人でないといけないわけで、大体が「中年以上の金持ちで、心の優しい気品のある方」を基準にしたようである。

　喜一さんは当時、那覇市で「平尾本店」という大きな店を構えていた平尾喜三郎さんの長男である。喜三郎さんは多額納税者として貴族院議員でもあった。喜一さんは「那覇で呉服店を経営する裕福な家の御曹子」として辻でも名が知れていた。喜三郎さんは奈良市の生まれで、明治三十年代に父・喜八さんと共に沖縄に渡って来て那覇市内の大門通りに呉服商を始めた人で、寄留商人の筆頭であり、また沖縄経済界の重鎮でもあった。

　その長男である嘉一さんは、のちに健康上の理由で貴族院義員を辞めた父の後を継いで立候補、激戦の末に当選している。つまり父子二代にわたる貴族院議員としても知られていたのである。後に喜一さんが「平尾本店」の経営に当たっていたが、昭和十八年頃、家族は郷里奈良県に疎開し、喜一さんは沖縄に残った。

　喜一さんは文子にとって本当に理解のあるいい人だった。文子を身請けした当時は三十五、六歳だったが、眉と瞳がすがすがしくものの言い方も優しい人柄だった。文子は十八歳の一人前になるまでの間、抱え親の保護を受け髪などもきれいに結い上げ、ぴかぴかのジーファー（かんざし）をさしてもらい、礼儀作法なども正しく教え込まれた。喜一さんは年端もゆかぬ文子をいたわるように可愛がっていたので、周囲の妓たちは「まるで椿姫のようだ」と噂していたという。椿姫の物語は辻の妓たちも知っていた。マルグリッド・ゴティエは、いわゆるドミ・モンドの女（高等の妓）であったが、良家の子弟アルマンの純真な愛情を受けて真実の愛に目覚め、二人は相思相愛の生活に入るという物語である。文子も、そのような真の愛によって結ばれたという意味だったのだろう。

喜一さんは戦争中も沖縄に残り、十年ほど前に沖縄で亡くなった。こうして彼女は、辻でも自前の女として自由の身となった。豪商の若旦那に見染められ、旦那もちになった文子は二十人ぐらいの付け人を持つ裕福な身となったのである。その頃、弟の奥間政幸から「県立工業学校へ入学したい」との希望を打ち明けられた。進学の夢も破れた文子は、せめて向学心に燃える弟だけは中等学校に入れてあげようと思い、弟の受験手続きをとった。

夫安儀との出会い

文子は弟の奥間政幸が工業学校に入学するため那覇に来たので、首里の下宿屋に預けた。彼女がある日の夕方、弟に会いに行くため西武門の電車の停留所で首里行きの電車の来るのを待っていた。そこには県立一中の生徒たちが、五、六名同じように電車の来るのを待ってたむろしていた。六時頃だったが、三十分以上持っても電車は来ない。

「来ないからもう歩いて行こう」

中学生たちは口々に言い歩き出した。それにつられて文子も中学生たちの後について首里に向かった。

「兄さんたち、私も連れて行って下さいね」と頼むと、みんな「ウン」と頷いてくれた。当時の一中生といえば、秀才のホマレ高い沖縄のエリートだった。

泊高橋から崇元寺、坂下、松川、観音堂前と首里への坂道を中学生たちと一緒に登って行った。ところが「吉田屋」という政幸の下宿屋のある儀保町近くなると、一人減り二人減りしてしまった。

「吉田屋」は、吉田嗣延さんのお宅のことで、その頃は中学生の下宿などもしておられた。最後まで道案内をしてくれた中学生が、政幸の下宿先である吉田屋まで案内してくれた。ところが弟はまだ帰ってなく留守だった。帰るのを待つほかはない。

「兄さん、有難う。これは少しですが…」

と五十銭玉をあげようとしたが、

「いいよ、いらないよ」

と受けとらない。なんと親切で、心のきれいな中学生だろうと思った。一中の正帽を深くかぶっていたが、なかなか立派な若者である。文子の心に、爽やかな美しいものを見た感動が走った。

「私は辻町の那覇亭におります。たまには遊びにいらして下さいね」

と言って別れた。月夜だった。その親切な中学生の名前を聞くこともなく別れてしまった。その中学生こそ、後の夫となった上江洲安儀だった。

那覇亭での再会

月日の経つのは早いもので、あれから五年も過ぎてしまった。辻社会の中でも文子が務めている那覇亭は、伝統性を守る格式高い遊廓として知られていた。文子が二十四歳になった時、その楼の女主人として経営に当たることになった。つまり多くの妓を抱える親となったのである。

ある日、大門前（うふじょーめー）商店街の通り会が那覇亭で宴会を開くことになった。大門前交番勤務になった上江洲安儀巡査の歓迎会だった。どの座敷でも賑やかな絃歌がさんざめき、宴たけなわの頃、廊下を文子が静かに歩いていると制服姿もいかめしい警官とすれ違った。文子は丁寧に会釈して通り過ぎようとした。

「ああ、ちょっと」

と上江洲巡査は文子を呼びとめた。

「ハイ」

立ちどまって、彼の顔をまともに見た。何か妓たちに落ち度でもあって、苦情を言われるのかと思った。

「奥間さんでしょう、あんたは」

言われて文子はドキッとした。官尊民卑の時代である。警察官に対する畏敬の念は、今日では想像もつかぬほど強かった。

「もう忘れたかも知れないネ、あれから五年も経っているんだ」

上江洲巡査は苦笑して言葉を続けた。

「この那覇亭にボクは何度も来ましたよ」

「あらッ、あなたは？」

「六年前の一中生、上江洲安儀です」

文子はカーッと胸の熱くなるのを覚えた。

あの月夜、弟の下宿屋まで案内してくれた一中生のお兄さん、五十銭玉をあげようとしたが取らなかった。五、六年の歳月が一瞬の間に飛び去り、月夜の次の夜のような錯覚におちいった。

「そうでしたの」

絶句して返す言葉もない。廊下での立ち話も気がひけるので、

「どうぞ、こちらへ」

と空いている部屋に招じ入れた。それから彼はこれまでの自分の歩んできた道を事細かに説明した。

一中を卒業して京都武専に受験したが、家庭が貧しく学資を続けてもらえぬ境遇との理由で落第、すごすご沖縄に帰った。

他にこれという職もないので、県庁の土木工事の監督となって東村など北部の現場を巡回していた。

「ボクの家はネ、首里では「ヒンスー上江洲」というアダ名があるほど有名なんだ」

「まあ」

文子は、彼の率直な言い方と、貧乏を貧乏とハッキリいう彼の言い方がおかしく、思わずくすっと笑った。でもそれは蔑みの冷笑ではなく、人間味豊かな彼の態度に対する好意的な笑いであった。

合縁奇縁、男と女の、なんという運命のめぐり合わせであろう。

「それからネ」

彼の話はまだ続く。

「徴兵検査を受けたら甲種合格、熊本の陸軍の連隊に入隊したよ。ボクの二人の姉も内地に出稼ぎに行ってネ、母一人残して入隊したわけサ、軍隊でも私の境遇をみて一年という短い期間で除隊させてくれたヨ」

文子は笑い、そして涙ぐみ、あの優しかったお兄さんの辛い過去、しかしそれにもめげず、男らしく苛酷な運命に体当りして切り開いていこうとする雄々しさに心惹かれるものがあった。総元締めのアンマーは、素寒貧のヒラ巡査などには目もくれずに、門前払いを食わせたのであろう。二人の逢瀬をせきとめていたのがアンマーであった。

若旦那へ事情を話し、安儀と結婚へ

この後、上江洲巡査は折目正しく文子に求婚した。美男子である上に気品のある彼の姿に、彼女も激しく心を揺さぶられるのを感じた。

その頃、文子が世話になっている平尾家の若旦那の奥さんから、文子あてに「親展」の手紙が届いた。それにはこう書いてあった。

「あなたもいつかは結婚しなければいけません。私はあなたを本当の妹のように思うから言うのです。人並みに結婚して、堂々と太陽の下を歩けるような人間になってほしい。一生を日陰の身で終わるのは

借しい。天下晴れて、だれ憚からぬ人になって下さい。お金というのはいつかはなくなる。残るのは老いと病だけです。若い今のうちにまともな結婚をして頂載」

奥さんのこの切実な勧めに動かされて、文子も人並みに結婚したいと思うようになっていった。いろいろと思い悩んだ末、とうとう若旦那に事情を打ち明けた。

「そうか…」

若旦那は絶句し、目をつむっていたがやがてキッパリと言い切った。

「よかろう。おマエが本当にまともな結婚をするなら許してやろう」

若旦那はいわゆる〝多情仏心〟のタイプの人で、物分かりはよかった。こうして安儀との縁談はすらすらと進み、まともな結婚生活に入った。合縁奇縁の男女の不思議な再会が、結婚というハッピーエンドを迎えたわけである。

琉球芸能東京公演を辞退

玉城盛重翁から箏曲の稽古、手ほどきを受けた文子は、舞踊でもなかなかの腕前を発揮した。昭和十一年五月、東京青山の日本青年会館における琉球芸能公演は盛重翁にとってまたとない機会と考え、自ら人選に入った。この公演は沖縄芸能の真価を中央に問う意気込みで、沖縄県の協力によって計画されたもので、舞踊に玉城盛重、新垣松含、三味線地謡には金武良仁の各師匠を配する豪華メンバーであった。

この中で文子は組踊「銘苅子」の「羽衣の王女」役を振り当てられていた。舞踊メンバーには男性舞踊家の他に田代タカ、根路銘タマ、名護愛子、真境名澄子、真境名苗子、山口千寿子、新垣芳子さんら、盛重翁や松含翁の愛弟子がいたが、みんな一生懸命だった。文子も張切っていた。

ところがその頃、文子はすでに安儀の子を宿していた。行く時になってつわりがひどくなり、とうとう東京公演を辞退するほかはなかった。東京では観客も有識者を対象として、沖縄芸能への評価を求めようとしていただけに、プログラムも精選されていた。記録によると、盛重翁が「かぎやで風」「高平良万歳」と組踊「二童敵討」のあまわりを演じたという。松含翁は「高平良万歳」を踊った。新垣芳子、名護愛子の「かせかけ」「鳩間節」も好評だったと伝えられている。厳格な人選の結果の配役だったのに、文子が同行できなかったことを盛重翁は非常に残念がった。

亡夫が黒島へ水タンク

亜熱帯の黒島は有史以来、水に乏しい島である。旅人が島を訪れ「水を下さい」とせがむと水のかわりに酒を出し、婉曲に断わった。真夏の炎天下、喉が渇いて水がほしい。けれども島の人たちは〝生命の水〟を一滴も惜しみ、かわりに酒を出したのだ。水を得るために起こった悲劇は枚挙にいとまがない。生活用水がほしくてサバニで西表島に渡り、首尾よく入手したものの帰りに時化に遭い、水はおろか命まで海底の藻屑と消えた人は数限りない。

また石垣市まで飲み水を買いに行って、三時間も船に揺られてやっと黒島に着き、ターグ（ブリキ製の箱型容器）二個に天びん棒を通して、船付場から一里余もエッチラ、オッチラ歩いて、やっと我が家の門前までたどり着いた時、ターグに結えてあった綱がプツリ！と切れた。二つの容器になみなみと満たしておいた真水がアッという間にこぼれて、砂地に吸いこまれてしまった。泣くにも泣けず、茫然と立ちつくす人たちもいた。

文子が安儀と結婚した後、昭和十七年になると統制経済の世の中になった。夫と長男の安幸を実家の人たちに見せるために黒島に渡った。安幸は六歳になっていた。初めて見る妻の生まれた島に、首里生まれの安儀は見るもの聞くもの珍らしく、船から降りて島の佇まいを注意深く視察した。その時異様なことに気づいた。それは学童たちの登校姿で、腰にサイダー瓶をぶら下げている。

「なんだろう、あれは？」

沖縄本島では見かけぬスタイルである。

「水が学校にないからサー。家からみんなサイダー瓶に水を詰めて学校に行くんだよ。授業中は学校の近くの草むらに隠しておいて、のどが渇くと飲みに行くんだ」

初めてみる異常な光景である。

「かわいそうな子供たち…」

愛する妻の郷里のため、安儀は一肌も二肌もぬぐ気になった。

当時、県庁の衛生課に勤めていたので、上司の大田朝信警部に願って黒島に十二ヵ所の貯水タンクを県の補助金を出して設置してもらう陳情書をつくった。各市町村には補助金による貯水タンクが設置されていたが、村会議員もいない黒島はその恩恵にあずかることもなかった。安儀の陳情は奏功した。そこでさっそく黒島の各区長を那覇の自宅に呼び、貯水タンクを作る原料のセメント十二ヵ所分を、どのようにして那覇から黒島まで運ぶかについて綿密な計画を練った。

その頃セメントは割当制になっていて、石垣島経由で運ぶと夜のうちに盗まれてしまう。いろいろとチエをしぼったあげく、次のような名案が出た。それは石垣行きの汽船「慶運丸」が石垣港外で沖待ちしている間に、黒島からポンポン船を出して汽船から降ろしてしまう。このため船会社とも事前にわたりをつけ五百袋ものセメント引渡しに成功した。

こうして黒島の十二カ所に粟石で天水タンクを作り、その継ぎ目にだけセメントを使った。余分のセメントがかなりあったので、予定外ではあったがこれで雨水利用の貯水タンクを島の学校に作った。

この亡夫の昔の功績のお陰で、後年、文子が八重山署長に家畜の移送を願い出た時、スイスイと通ったのである。またこのタンクのお陰で、戦争中も島民は水に不自由することなく過ごせた。

戦後、昭和四十七年五月、沖縄は二十七年間にわたる米軍占領統治の時代を終えて、祖国に復帰した。戦後復興の政府予算を組み、特別措置による沖縄の立て直しが始まった。その一つに、西表島から黒島と新城島に海底送水パイプの敷設工事がある。黒島の人たちの悲願がようやく達成されようとしたが、時の総理府総務長官山中貞則氏についてこの事業を推進したのが、県会議員である次男・上江洲安健である。安健は昭和十四年生まれで、立法院議員から県会議員となった少壮政治家であった。安健は父の遺志を継ぎ、父子二代にわたって母の故郷である黒島のために大きく貢献したことになる。

十・十空襲で那覇を脱出

昭和十九年十月十日、米軍機動部隊による大空襲の時、文子は四男安雄を出産して七日目だった。那覇市泊の山里將嘉さんが文化住宅を建て、文子たち一家の他に山元茉美子、松村興勝、古謝、具志堅、山里、金城さんといった人たちが一軒ずつ借りて隣組編成していた。空襲は朝の七時から始まり、夕方の六時まで続いた。

戦争だ！敵がやってくる！

恐怖と戦慄が人々の心をキュッと締めつけた。日が暮れる。みんな壕から出て後ろの高台で、俗に高マサーという台地にあった墓の中に逃げこんだ。墓の中には厨子甕がいくつもあり、湿気があってうす気味悪い。隣組の人たちとひっそり寄りあって、恐怖の一夜を明かした。

しらじらと初秋の夜が明けた。日本軍の伝令が各地区に飛んできた。

「那覇市民は全員ヤンバル（北部）に避難せよ、敵機動部隊が上陸する公算である」と言う。歩いてヤンバルへ！　考えただけでも気の遠くなる話であった。七十歳代の姑など、とても連れて行くことはできない。文子は咄嗟の判断で仲西にいる義姉（姑にとっては娘）の家に姑を預けた。空襲の前日、泡瀬にいる親戚の使いで来た秀子という娘がいた。文子の出産祝いにと豚肉を持って来てくれたのだが、夜も明けぬうちに文子たちと一緒に行動し、那覇を脱出した。沖縄本島の中央を貫く普天間街道をトボトボ歩いていた。一家離散が現実に起こった。中国の残留孤児が体験したような散り散りの状態である。二歳になったばかりの三男の安明を泡瀬から来た秀子におんぶさせ、親戚宅に行かせた。いくらか身軽になった。四歳の長女・弘子、四男で赤ん坊の安雄、五歳の次男・安健、八歳の長男・安幸を連れてのヤンバルへの逃避行である。

ようやく名護に到着

六万市民といわれた那覇市民の他に、南部の糸満、その他の村々の人々も合流して北へ北へと歩いて行く。こんな大騒動は、沖縄の歴史始まって以来の出来事ではないだろうか。文子は色青ざめ、やつれ果て、放心したように虚空を見つめていた。

「かわいそうに、気が触れたんだね」

ヘタヘタと座りこんだ文子を見て、そっとつぶやく女たちもいた。普天間への道は遠い。沿道のキビ畑のキビが次々にへし折られる。元気な若者たちが飢えと渇きをいやすためだ。みるみるうちに緑のキビ畑が空畑になった。沿道の畑で急に産気づいて出産する妊婦もいる。死に直面していながら新しい生命が生まれる。なんとも皮肉なシーンである。

やっと普天間に着いた。家主の山里將嘉さんの特別なはからいで馬車を一台借りることができた。家主の山里さんが軍と交渉して、年寄りと母子家族を乗せてくれるようにと頼んだのだ。なんという僥倖であろうか。さっそく家主の親のおじいさんと文子母子を乗せて、馬車はひとまず名護をめざして進んだ。

南から北へと進む群集、逆に北から南へ、肉親の安否をたずねる人々、すれ違う群衆の表情には何の反応もない。恩納村にかかる頃には日もとっぷり暮れていたが、各字の人たちが持ち構えて炊き出しの握り飯を配ってくれた。夜目にも白い名護の七曲りといわれる長汀曲浦の道を、馬車はカタコト揺られて行った。

辺土名で安儀に再会

名護に着いたのが夜中の午前二時、町の人たちがそれぞれ割り当てられた旅館や民家に避難民を案内してくれた。その夜はみんな雑魚寝した。疲労が激しく、横になると欲も得もなく泥のように眠りこけた。夜が明けると町役場の人たちが、

「もっと北上して辺土名に行きなさい」

との命令。また重い足を引きずって歩いて行く。途中、羽地で一泊したが四歳の弘子は「足が痛い！」と泣き出す。それを家主の山里さんや金城のおじさんなど、隣組の人たちが交替でおんぶしてくれた。

金城さんは妻子を本土に疎開させていたので、気軽に幼な子を世話したりしていた。隣組というものは実に有難い。

こうしてやっとの思いで辺土名に着き、そこで泊まった翌日、思いがけなく夫の安儀が自転車でやって来た。夫の元気な顔を見て、文子はもう人前もなくそのがっしりした胸にすがりつき、声をあげて泣いた。初めて安儀は生まれたばかりの安雄と対面した。夫は優しく妻の肩を叩いて気を静めさせてから、隣組の人たちやその他の人たちに情報を聞かせてくれた。

「皆さん、本当に私の家族に親切にして下さいまして、厚く深く感謝致します。幸い敵機動部隊は硫黄島に向かって転進しましたので、沖縄上陸の危険はなくなりました。安心して下さい。私の任務も解かれました」と言った。

みんなの顔が安堵と喜びの色に変わった。安儀は情報をいち早くキャッチし、自分の家族が辺土名に向かったことを知って自転車で駆けつけてくれたのだ。

しかし、夫との再会の時間もたった一時間だった。安儀はまた名護の部隊に帰らなければいけない。夫婦、親子が会えたというのに、一時間そこそこでまた別れなければいけない。なんという切ない逢瀬であろうか。でもこうしてひと目でも会えて言葉を交わすことができたのだ。それがせめてもの慰めでもあり、喜びでもあるのだ。文子は自分にそう言い聞かせてやっと気を落ち着かせた。

「あなた、いってらっしゃい。子供たちのことは心配しないで下さい。また逢える日もありますから」と、逆に夫を励まして言った。

「有難う。後は頼むよ」

そう言うと、安儀はまた自転車に乗って名護へと向かった。去りゆく夫の白転車の姿が見えなくなるまで、文子は涙でうるむ目で見送っていた。

辺土名に一週間ぐらいはいたが、そのうちにみんな知人を頼って立ち去った。隣組は辺土名で解散になったが、何というううるわしい隣保精神の発露であったか。文子は生涯、あの人たちから受けた恩を忘れることはできない。今でも当時の隣組の人たちの顔が鮮やかに浮かび上がってくる。隣組よ、有難う！ 皆さん、本当にお世話になりました！

クラブを開業

隣組の人たちもいなくなったので、辺土名からまた名護に戻った。体の調子も良くなった。一カ月くらい名護にいる間に、北部の兵隊はほとんど南部へ転進した。夫もいなくなった北部にいても意味がないと思った。そこで、嘉手納で前に辻でお手伝いとして使っていた娘が徴用されていることを聞いたのでその娘に会いに行った。

「かあちゃん！」

久しぶりの再会に、その娘は文子にとりすがって泣いた。彼女は軍の兵站部隊長室付の家政婦になっていた。

「あんたも無事でよかった。こうして無事に生きて会えたのも何かの縁だよ、よかったねェ」

娘の肩を叩き、髪を撫でながら文子も涙ぐんだ。

「かあちゃん、お願いがあるの」

「？」

「隊長さんに、かあちゃんからお礼をいって頂戴」

とせがむので、文子は隊長に会い丁重にお礼のことばを述べた。

隊長は豪放磊落な人で、

「那覇に行っても焼野原で食糧もない。どうですか、ここでクラブをやってみては。ここは兵站部だから食べるのに不自由はさせませんよ」

と勧めた。

「ハイ！」

とは言ったものの二の句が出ない。那覇にも行けない。食糧品店もない。夫の安儀は球部隊で食うや食わずの毎日である。夫を飢えさせて自分ばかり暖衣飽食の暮らしができるものか。そう思ったので即答を避け、

「しばらく考えさせて下さい」

と断わり、一応ひき退った。

しかしよく考えてみると、自分一人なら食うや食わずでもよい。私のこの細腕には赤ん坊の安雄をは

じめ、長男の安幸、次男安健、三男安明、長女の弘子、それに七十歳を超える高齢の姑まで六人がブラ下がっている。六人をどうやって飢えさせずに、生き抜いていけるか。そこまで考えた時、文子は隊長の好意をムゲに断わるべきではないと思った。

「クラブをやらせて戴きたいと思います」

二、三日経って再び隊長に会った。

文子は姑と子供たちを北谷のお寺の住職に預けることにした。ここの住職は幸いに夫・安儀の従兄に当たる人だったので、事情をよく分かってくれ「安心して働きなさい」と心よく引き受けたのである。

「これなら、何とかやっていける」

と文子は考えた。

「やってくれますか。それじゃ、さっそく開店してもらいましょう」

天国と地獄

隊長も大乗気、家も兵站部で準備してくれて話はトントン拍子に進んだ。いよいよクラブは開店した。店は千客萬来、なにしろ何の娯楽もない頃だから、灯に集まる蛾の群れのように兵士たちが詰めかけた。カネはジャンジャン入ってくる。食べものはパンや肉など思う存分たらふく食べられるし、子供たちや姑の食糧も確保できた。これまでの飢餓の生活に比べると、まったく天国と地獄の差があった。しかし、その〝天国〟の中にも、文子は紙一重の〝地獄〟を垣間見た。それは、無線室から出てくるオペレーターの下士官のぐったりした姿から〝地獄〟の片鱗を見る思いをした。

「どうしたんですの？」

文子が聞くと、その下士官は目をうるませながら、カミカゼ特攻隊の壮烈な玉砕の模様を話してくれた。

「特攻機から発信される無線連絡の信号音がピー、ピー、ピーと入ってくる。ところが特攻隊が体当りで敵の艦船に突っ込んで自爆する時に、ピー！という音が途切れてしまうんだ。最後の断末魔のピー！　だよ、分かるかい、それを傍受して聞いた者の気持ち…」　下士官はしゃがみこんで、顔を覆って男泣きに泣いた。文子も胸をキュッと締めつけられる気持ちでもらい泣きした。

こうして昭和十九年は暮れ、二十年の正月を嘉手納で迎えた。比謝川の水は戦禍を受けた後ではあったが、まだ清流は残っていた。チクラという魚は獲れるし、その魚をてんぷらにしたり、しばらく平穏な小康状態がつづいた。

本土疎開を勧める夫

ところが一カ月くらい経ってから、南部の大里村に移駐していた夫の安儀が突然やって来た。昭和二十年二月の十四日だった。

「明日、本土にいく疎開船が那覇港から出るからすぐに疎開しなさい」

と言う。

「疎開？　あんたナニを言うんですか。せっかくここで何不自由なく暮らしているのに、いいえ、行きません」

文子はピシャリと断わった。

「私は海の上で死にたくない。どうせ死ぬなら陸の上で死にたい」

と言った。

そしてもう一つ、夫のいない海の上で死ねるものかとの思いが一層つのった。

この地上で、誰よりも愛し頼りにしている夫、その男と別れるなんて…。愛が深ければ深いほど拒絶反応はもの凄く、叩かれても死ぬほどの苦痛を受けても離れるものか、別れるものかと思いつめた。

安儀にも、妻の心の中にあるものが感じとられたらしい。

夫婦というものは以心伝心、相手の心の動きが手に取るように分かるものである。

「そうか、そんなに思いつめているのか」

安儀は頷きながら、文子の手を固く握り締めて言った。

「よく聞くんだよ。私とオマエだけの命ではないんだよ。五人の子供たちと姑の命がオマエの両腕にかかっているんだよ。この沖縄は狭い。ここにいたんでは助からないかもしれない。オマエや子供たちが一歩でも本土の土を踏んだら、国がみんなの命と生活は守ってくれるんだ。家もあるし、私の俸給も向こうでもらえる。本土ではちゃんとして疎開者の来るのを待っているんだ。オマエ一人の決心で五人の命が助かるんだ。よく考えて、いやもう考えるヒマはない。あすの疎開船に乗りなさい」と説得した。頷いてはみたが鹿児島では、おにぎり一つが五円もするという。また、対馬丸の遭難のことも貼り紙で知った。船が魚雷攻撃を受けて沈み、板きれにすがっていた人たちを救いにきた海軍の水兵たちは若い者ばかりを拾いあげ、年寄りは見殺しにしたという話も耳にした。そうなるとンーメー（姑）はどうなるのだ。親子もろとも海底の藻屑と消えたという話もある。

そうした不安動揺を秘めながら、夫の勧めに従って北谷のお寺（文子たちの宿泊所）に帰り、住職に事情を説明し那覇に行く話をした。その住職の力で馬車を一台借りることができた。

その日のうちに安謝の親戚宅まで馬車で行き、その夜はそこで一泊した。那覇市は一面瓦礫の廃墟になっていた。身に迫る危機感から、文子はとうとう本土疎開のハラを固めた。その親戚の家では、十七歳になる娘を文子たちの子守りとしてつけ本土まで一緒に連れて行ってくれと頼まれた。家族に子守りを含め八名である。着のみ着のままの疎開であった。安儀が集めてくれた黒沙糖を二、三箱に詰め、安雄のおしめだけを持って親戚の馬車で那覇港に向かった。

安儀の機転で疎開船に乗船

ところが那覇の波止場は、収拾のつかない混乱状態になっていた。我れ先に！と船に乗り込もうとする人たちばかりである。とても縄ハシゴを使って乗船することはできない。五、六隻で船団を組んだ疎開船である。これではムリと判断した夫の安儀は、水上警察署員に頼んで彼上場に急行、山と積まれた貨物の上によじ登り、姑をはじめ船内に入った水上署員に抱えられ、五、六名でリレー式に無事に乗船させた。

「あなた、死なないで下さい。これだけの家族を私だけで養うことは…。それに内地ではおにぎり一つが五円もするというし…」

文子は心細くなって夫にしがみついた。

「戦場は、沖縄だけの狭い地域だ。間もなく終わる。私は農夫に化けてでも生き残ってみせるから心配するな。戦争が済んだらまっ先に迎えに行くよ」

と安儀は妻を励まし、実母には、

「これからは文子と離れてはいけませんよ。チャーカチシガイ(べったりくっつく)私と思って、どこまでもついて行くんですよ」と、かんで含めるように諭した。

親は来ているが子供は来ていない。子供は乗ったが親が来ない。人は来たが荷物が届かない。こんなチグハグな混乱が起こり、ハチの巣をつついたような騒ぎになった。無事に乗船できたのも、水上署員の友情のお陰である。こうして昭和二十年二月十五日、最後の疎開船団で文子たち一家は那覇港を後にした。

疎開船団の恐怖

戦争で足手まといになる女子供・年寄りは本土に引揚げよ。向こうでは住宅もふとん夜具類も十分にある。主人の給料も向こうでもらえるというので、着のみ着のままで県外に出たのである。

出帆を知らせる銅鑼の音もない。黙ったままスーッと出港していった。その疎開船団は通常の本土航路はとらずに、東シナ海を大迂回して福岡県の大牟田港に向かっていた。文子たちの家族は底の船倉にいた。握り飯の配食の他は、不安以外なんの変哲もない旅であった。ゴウゴウと鳴るスクリューの音、一分一秒、身を刻むように運を天にまかせ、死の恐怖と戦う人々の心に平安はなかった。あるのはただ、身を切り刻むような恐怖の連続である。何時間か、何日か経ったある真夜中、突然ドスーン！という大音響が起こり、その衝撃で船内は大騒ぎになった。

魚雷だ。

船底にいた人たちは先を争い、ワッと狭いハッチに殺到した。人間一人やっと這い上がれる昇降段である。死を目前にして狂気にならない人間はいない。寝ていた姑もハッとなって文子に、

「エー、ヌーヤガ！」（どうしたの！）

と聞く。その時、文子は不思議なほど落ち着いていた。死の直前まで来て、この平静さはどこから来たものかと、後でつくづく考えたこともある。死ぬなら母子もろとも、そして姑も一緒に天国に行こう

と思った。

「神よ、すべてはあなたのみ心のままです」と祈った。

へたに動いて母子がバラバラにはぐれては、よけい大変だという知恵も働いていた。

海ゆかば水漬く屍、山ゆかば草むす屍
戦時中、流行った歌ではあるが、今まさに「水漬く屍」になろうとしているのだ。

「何でもありません。静かにしているんですよ」

文子は姑の手を握って落ち着かせようとした。人々の叫び、上甲板に脱出しようとする震動、そんな騒ぎの中で文子の心は清められ、豊かな平安が彼女の総てを包んでいた。そしてバプテスト教会の屋根の十字架や、照屋寛範牧師の優しい顔が天国の門のように彼女の心眼に映っていた。

大牟田港に到着

厳寒の二月である。日が経つにつれて、突き刺すような寒気が船倉まで迫ってくる。北に向かった船団は、ジグザグのコースで四、五日もかかった。

やっと福岡県の大牟田港に着いた。午前十一時頃であった。船が接岸すると、間もなく駆け足で波止場の倉庫まで走らされた。いつ空襲があるかもしれないというのである。老いも若きも子供たちも一目散に走った。しばらく休憩して、市内の旅館に案内された。文子たちの疎開先は大分県の直入郡松本村と内定していた。旅館には一週間ぐらい滞在したが、生後五カ月の安雄のおしめの洗濯もできず洗濯物はたまる一方、雪は降る。アラレも降る。来る日も来る日も陰うつな日が続いた。

一週間経った頃、夜中に「大牟田駅に集合せよ」との村の人からの伝達が来た。夜中の凍てつく道を大牟田駅に急いで行くと「上江洲さんはこっちですよ！」と提灯をかざして叫ぶ男がいた。それが松本村の後藤村長だった。

夜汽車で疎開先へ

こうして、深夜の列車で文子たちは門司経由で大分に向かった。大分駅に着くと今度は豊肥線に乗り換え、やっと目的地の玉來《たまらい》駅に着いた。松本村の有志、婦人会、男女青年団員が総出で丁重に迎えてくれた。さっそく村内君ケ園《その》集落の寺院に集められた。余りの寒さに、生まれて五ヵ月しか経っていない四男・安雄は大牟田を発つ前からカゼをひいていた。旅行には無理だと思ったが、かといって疎開先への出発を延期する訳にはいかない。揺れる深夜の汽車の座席で、文子は安雄の熱い頬に触れてはただオロオロしていた。厳寒の頃で、雪が一メートル余も積もっていた。若い人たちがワラジをもって迎えに来ている。この寒いのにワラジを売るつもりなのか、と不思議に思った。

お寺で初めて銀めしにありつけた。梅干しと紫蘇の葉を中にくるんだおにぎりだった。子供たちは「純綿だ！純綿だ！」と大喜びだった。それから一週間して君ヶ園集落の疎開者の各家族への人数割当てが決まった。ふとんが一人に四枚ずつ配給された。

四男安雄の死

四男・安雄は生まれ落ちた時から不幸な星の下にあった。生後五日目で、北部の最果て国頭村辺土名へ母・文子に抱かれて避難した。九州に疎開したものの、大牟田の旅館で熱発しカゼも治らぬままに夜汽車で大分に向かった。君ヶ園の集落に落ち着いて間もなく、昭和二十年の五月二日に、わずか五カ月余の短い命を閉じた。君ヶ園集落には医者はなく、玉來まで往復三キロの医者の家まで三男・安明をおんぶしたまま安雄を連れて行って診てもらったが、すでに手遅れであった。それも戦争という呪わしい運命のなせる非情な最期であった。沖縄ではすでに米軍が上陸して、南部に向かって日本軍が撤退していた頃である。

集落の有志も婦人会員も、安雄の葬式の日にはいろいろと法事の手伝いをしてくれた。お寺への納骨まで至れり尽くせりの世話を焼いてくれた。文子は「天国に召された安雄の魂を、主よ、あなたにゆだねます」と祈った。安雄を失ったことは、文子にとって言葉で言い尽くせない打撃だった。それでも生きていくためには、畑仕事の手伝いなどをしなければならない。夜になってから安明をおんぶしたまま各家庭を訪れ「野良仕事の手伝いでもさせて下さい」と頼んで歩いた。

ハブを食べる沖縄の人たち？

葬式も済んで一段落するヒマもなかった。ある夜の常会での茶飲み話に、文子は婦人会の人たちに何気に聞いた。

「どうしてあの時、ワラジなんか持って迎えて下さったんですか」

すると婦人会の人たちはゲラゲラ笑い出して「村長さんが悪いんですよ。いいえね、あなた方疎開者を迎えに行く前に、村長さんがみんなを集めて訓示したんですよ」

沖縄というところは熱帯地方で年中暑い。沖縄の人たちは年中ハダカ、女もよほどの金持ちなら腰巻きぐらいつけている。だからあまりジロジロ見ないでくれ。寝るのにもふとんはなく、床も竹を組んだのを使っている。食べ物もハブという毒蛇を食べている。だから婦人会の皆さんは、まず米の研ぎ方から、ご飯の炊き方を教えてあげなさい。有志の人たちは、村はずれの岩山に小屋を作って下さい。みんなハダカで一緒に住める人たちではない。村長は女子青年に「雪が降っているから寒いと思います。ワラジを作って迎えて下さい」と訓示したという。ところが玉來駅に着いた沖縄の疎開者たちは、子供たちもキチンとした特配の制服を着ている。土人どころか、これでは山小屋には案内できないというので、急に寺院に変更したという。

懐かしい君ヶ園集落

文子一家がひっそりと身を寄せあって暮らした旧松本村の君ヶ園は、戦後の町村合併で現在竹田市に包含されているが、四方を山に囲まれた盆地である。ここから他郷に出るのには、どの道でもトンネルをくぐらねばならない。冬は寒く、夏は暑い、大陸性の気象条件である。

土井晩翠作詞「春高楼の花の宴」の唄は日本国民の愛唱歌となっているが、その城が竹田市内の岡城祉である。そして詩人高村光太郎の故郷であり、銅像の名産地でもある。

山奥の一寒村にすぎない旧松本村ではあるが、歴史をさかのぼればこれほど全国的に地名度の高い地域はない。無名と有名の奇妙な環境の絡み合いの中で、文子一家は三年間暮らすことになる。文子の心の中に、どっしりとした銅像（君ヶ園という）が建立されてしまった。集落の中を清い流れが走り、住みよい佇まいであった。戦争中とはいえ空襲もなく、被害はなかった。大分市や福岡市が時折Ｂ29の襲来で被害が出たということを聞くにつけ、胸の痛む思いだった。

竹田での疎開生活──スパイの疑い

その頃、米軍がケラマへ艦砲射撃をやり、上陸し、四月一日には沖縄本島上陸の報が伝わった。主人の棒給は一銭ももらえず、六月二十三日には沖縄玉砕の悲報が届いた。その上、沖縄人がスパイ行為を

したために日本軍は負けたのだという。八月十五日終戦、君ヶ園も戦後の混乱のるつぼに巻き込まれた。その後、君ヶ園の集落では常会を開き、上江洲一家にスパイの疑いがかかった。働きもないのにあんなに楽に暮らしているのは、きっとスパイの夫がこっそり仕送りしているからだろう。さらに次男の安健が、その頃手に入りにくいだしジャコを近所の子供たちに気前よくくれているのを見て、いよいよ怪しいということになった。そのだしジャコは宮崎から来る沖縄出身の復員兵が、米と交換するために持ってきたものだった。

常会の決議ではふとんも没収するのがタテマエだが、夜具まで剥ぎとっては可哀想だから、その代わり現金二百七十円を取ることにしよう、ということになった。大本営からの情報では、米軍の捕虜になった沖縄県民が壕内に隠れている日本兵の在り処を教えたので、火焔放射器でみんな焼き殺したのだという。同じ県民の命を救うために隠れている壕を教えたのが、かえって裏目に出てしまったのである。

素朴な村の人たちは、戦争が終ってもなお大本営情報をウのみにしていた。近所の人々の彼女に対する態度がガラリと変わった。完全な村八分である。道で会ってもツンと顔をそむけてしまう。とりつく島もないほど冷酷無残な仕打ちだった。

にわか百姓に変身

沖縄からの情報もプッツリと途絶えてしまった。そこで生き抜くために、文子は村長に会った。「村有地の未開拓地を貸して下さい。八人を養わねばなりませんので…。沖縄は玉砕し、帰る見込みもありませんから」と哀訴した。村長が言うには「尤もな願いではある。しかしその村有地は山奥にある段々畑で、三反歩ほどあるが、毒ヘビがよく出て人が咬まれて死んだこともある。村でも放ったらかしにしてあるので、そこでもよかったら小作料はいらんから貸してもいいよ」

毒ヘビと聞いてちょっとびっくりしたが、これも神様の助けとの信念で「ぜひ賃して下さい」と頼み、借り受けた。にわかに百姓に変身した。いろいろ考えた末に、まず主食の米をつくることにしたが、段々畑のことなので牛も入れない。そこで思いついたのが、沖縄出身の復員兵たちに畑の耕作を頼むことであった。彼らはよく米の買い出しに来たが、農家では知らない人にはヤミ米を売らない。そこで同郷人の文子を頼って来たのである。借り受けた農地の耕作を復員兵に頼み、隣家の提灯屋からスキ、クワを借りて彼らに与えた。

そうこうしているうちに、隣家の老人が自分の所有地を「小作料は高いが、借りる気はないか」と言ってきた。これ幸いと借り受け田んぼをつくり、苗は手伝いに行っていた農家から残りものをタダでもらって田植えをした。二、三反はあったし土も肥えていた。色街で育ち、農業のノの字も知らない文子がにわか百姓に変身したのである。

月の夜は外に出て、

「助けて下さい。これだけの家族を養う力も学もありません。自信もありません。でもどうか、この私に生きる自信と勇気を与えて下さい」と神に祈った。

順調な収穫作業

田んぼの収穫には、幸い気心の知れた村人が同情して手伝ってくれた。夫の戦死の公報も届いてスパイの疑いは晴れた！ 近所の人々も一転して親切になり、珍しいものがあると子供たちに分け与えてくれた。稲刈りの時には脱穀機にかけ、モミにして俵に詰め込んだ。日没までかかる重労働だった。

その時、手伝ってくれた隣家の高橋一さんが「上江洲さん、モミで十七俵あるよ。これを地主に見せたら半分は取られて子供たちに食べさせる分がないから、五俵ぐらいは畑の中にある私の倉庫に隠しておこうな」と親切に勧めてくれた。その恩は昨日のことのように思われ、彼女にとっては終生忘れ得ぬ思い出となった。山奥の畑からも五十俵ほどのモミが獲れるようになる。家族八人、食べるのに不自由しなくなった。

野菜やジャガイモ、唐イモも自分で作った。金肥の配給は疎開者にはなかったので、人糞を肥桶にかついで野菜やイモづくりに使った。臭くてあんなにイヤだった人糞が、慣れると汲み取りに行くのが待ち遠しいようになる。希望が失望に終わることはない。神は私たち母子を助けて下さると思った。獲れた米は大阪にいる金城幸徳、つまり夫の兄夫婦を頼って小荷物にして、市内の梅田、天王寺などの駅に送り、自分は一斗五升の米をかついで大阪に出かけた。大阪では義姉が待ちうけて売ってくれた。おかげで金が手に入るようになった。

大阪から帰りの汽車は、日豊線で夜中の二時に大分駅に着く。真夜中なので、駅弁もない。食べるものは何もホームで売っていない。飢えてひもじい思いをしている乗客が「何かありませんか」と聞く。それを見てヒントを得た。そうだ、寿司と酒まんじゅうをつくって夜中にこの駅のホームで売ろうと思った。

さっそく玉來駅まで帰り、麹菌をつくって原料にした酒まんじゅうと寿司をつくって、夜中の二時に大分駅のホームに持っていったら瞬く間に売り切れた。

深夜の沖縄人ヤミ市

深夜の大分駅のホームで酒まんじゅうと寿司を売り儲けた文子が誘い水となって、大分に疎開した沖縄県人が駅前でヤミ市を開くようになり、繁盛した。ところが、大分の新聞に「夜中のヤミ市」と大見出しで報道されたため警察の取り締まりを受け、県民のヤミ商一味は警察のブタ箱に入れられてしまった。

その頃別府で商売していた石川源次という同県人が、義憤のあまり警察に駆けつけ「沖縄人はみんな働けない者が大分に疎開している。仕事もない人ばかりだ。仕事のできる人は、みんな沖縄戦で玉砕した。女子供だけなので、生きるためにヤミ市をやっている沖縄県だけが戦争をやったんではない。日本国がやったのだ。沖縄県人も日本国民ではないか」とねじこんで、みんなを釈放してもらった。

琉球古典芸能を踊る

その頃、県立二高女の美術教師だった名渡山愛順さんが疎開先の文子の家まで来て、「上江洲さん、沖縄人がこんなにバカにされてはいけない。県人は宮崎、熊本、大分、鹿児島にそれぞれ疎開しているが、みんなイヤな思いをしている。家財道具もない。いつ帰るというアテもないから、沖縄の格調高い伝統芸能を見せて、目にモノをみせてやろう。沖縄文化連盟をつくって公演したい。そのため九州各県にいる郷土の芸能人を集めよう。玉城盛重師匠の高弟であるあなたには、ぜひ古典七踊りの一つ『伊野波節』を踊ってもらいたい」

と頼みこんだ。

ところが農業と寒さのため、手にもヒビ、赤ギレが入り、踊りどころではないと辞退したが「衣装は、幸楽のママが疎開してきて持っている。ぜひやってくれ」

と言う。結局、第一回公演は竹田市の公民館みたいな会場でオープンした。

「伊野波節は長くて難解な踊りなので、本上の人たちで分かって下さる方がいるかしら？」

と思いながら踊るだけは踊った。

その時、楽屋に知人の泊の隣組班長だった与那嶺夫婦が来て、

「上江洲さん、あなたの御主人のことを知っている復員兵が宮崎に来ているから、訪ねてみては？」

と勧めた。ハッとなった。妙な予感がした。竹田は能の発祥地で、目の肥えた専門家が文子の古典舞踊「伊野波節」を見て「これは大変な芸能だ」と驚き、その道の文化人三十余名にこのことを知らせた。その公演日に雨が降り、文子は主人のこともあり気が進まず、とうとう二日目の公演には出なかった。翌日、名渡山さんはまた竹田から文子を連れに来た。「プログラムには伊野波節があり、この目玉の芸能を見に来たのになぜすっぽかしたのか」と散々怒られた。頼むから今度はぜひやってくれと言う。仕方なく竹田に行って踊った。次の公演は熊本だったが、主人の消息捜しを理由に断わり宮崎に行った。

宮崎に行って会った復員兵から初めて主人の最期の模様を聞いた。彼の話によると、安儀は片足に敵弾を受けた。それを軍医が切断しようとしたが断わり、遂に破傷風になってしまった。分厚い自分の日記帳を、与那原の伊敷のオバサンに預けたという。自分の母と妻と子供たちを残して死ぬ人が、なんの遺言状も残さずに死ぬはずはないと思っていた文子の予感は的中した。沖縄に帰ったら墓標も立っている。足は片っぽしかないから捜しやすいはずだとも言う。

復員兵と会った宮崎から大分に帰る汽車の中で文子は思った。あの夫が死ぬはずがない。必ずどこかに隠れて生きている。どうしても自分のこの目で見届けたい。そう思うと、復員兵の言うこともすんなりと信ずる訳にはいかなかった。

君ヶ園集落とお別れ

こうして沖縄復員兵のオアシスになった文子の家も、二十一年になって沖縄への帰還命令が出て、懐かしい君ヶ園集落ともサヨナラする日が来た。

沖縄引揚げの話が出始めた頃、隣家の独身者の男性が夜遅く文子の家に来て、口説きにかかった。「沖縄に帰ってもアメリカ人ばかりだ。あなたが私と結婚してくれたら、子供たちの教育もやってあげるし私には土地財産もある。絶対に不自由はさせない。だからぜひこの私と…」

と求婚したが、文子は丁重に断わった。

二十一年の十二月、年の瀬もおしつまり、いよいよ引揚げの日が来た。子供たちに郷土沖縄のことを教えてやらなくては、またひょっこり夫が山の中から出てくるのでは…との淡い希望もあった。その上、親兄弟もいることだし、みんな温かく迎えてくれるだろうとの期待もあった。

二十一年十二月二十六日、いよいよ君ヶ園を去る日が来た。「沖縄に帰らないで一緒に暮らしましょう」と婦人会の人たちが文子一家を引き留めたが、文子は第一の故郷を黒島、第二は那覇、第三を君ヶ園と思い、このことは生涯変わることのない愛郷心となっている。

いつか必ず恩返しを！

君ヶ園から玉來駅まで一・四キロもある道のりを、部落全員が旗のぼりを立てて見送ってくれた。みんな感慨深げに涙を流して、握手する人たちもいる。駅前広場で文子は万感迫る思いであいさつした。

三十五歳の文子の紅唇をついてほとばしり出た別れのあいさつにみんな胸を打たれ、涙ぐまぬ人はなかった。

「みなさん、お別れ、本当にお名残り惜しゅうございます。うしろ髪をひかれる思いとはこのことです。提灯屋さんにも大変お世話になりました。子供と年寄りを抱えた私がさんざん皆さんに迷惑をかけ、何一つご恩返しもできずにこのまま帰るのです。皆さんに可愛がって育てて下さった四名の子供の中から、一生に一度はきっと皆さんに御恩返しのできますことを信じて引揚げます」

玉來駅の停車時間は三分間しかなく、引揚げ荷物を大分駅で乗り換えするのはとてもムリとみた有志たちが、その場で十名ぐらいの青年に大分駅まで一緒に行くようにと命令した。青年たちは素直に命令に従い、テキパキと手伝ってくれた。そして大分駅まで同行して乗り換えの時まで手伝ってくれた。こうして佐世保に向い、佐世保で一週間滞在し、引揚げ船で沖縄に向かった。提灯屋は、提灯を張りつける仕事で後藤一三さんといい、文子がスパイの疑いをかけられ村八分同然の目にあった時も、

「私はあなたを信じている。あなたやあなたの御主人がスパイをする筈はない」と励ましてくれた、たった一人の理解者だった。

沖縄引揚

佐世保からの引揚げ船は、九州各県からの疎開者の群れでごった返した。来る時の戦々恐々とした状

況と変わって、一刻も早く郷里沖縄の土を踏みたい。肉親の安否が知りたい、そんな思いにいても立ってもおられない人々だった。冬の海のことでかなり時化たが、のどかな蛇皮線の音も聞こえる。船倉に身を縮めていた行きの船に比べて、帰りは上甲板にゴロ寝したりでのどかな航海であった。

その人々の群れの中で、文子は思いがけず山里景福さんに会った。

「山里さん!」

「おお上江洲さん」

那覇でソロバン塾を開き、県庁職員でもあった山里さんが、子供好きなことを知っていた文子は、そうだ子供たちは、この山里さんに預けよう。沖縄に帰ったら仕事をして稼がねばならない。子供の救育のためにこの人に万事を託そうと判断した。船内でそのことを打明け「相談に乗ってもらえないか」と頼んだ。

「それは困るが、しかしあなたも大変だろう。帰って落ち着いてから相談に乗りましょう」と言ってくれた。

昭和二十一年の十二月三十一日、文子たちを乗せた引揚船は沖縄本島中部東海岸の久場崎に着いた。中城湾を目の前にした上陸地である。久しぶりにみる郷里の島の姿に、デッキの人々は一様に涙ぐんだ。あれが恩納岳、あそこが知念、こっちが中城、勝連だろう、とみんなうわずった口調で指さし、肩を叩き喜び合った。赤土でむき出しの山々であった。

久場崎に上陸して、重い荷物を背負ったまま、やっと故郷の土を踏んだ。多勢のアメリカ兵が待ち構えていた。初めて見る青い目の兵隊たちだった。

「カモン！」

と言い、頭の先から爪先まで白いＤＤＴの粉をまかれた。インヌミ（犬の蚤）屋取（ヤードイ＝小字）の収容所に入れられた。ところが、そこの収容所長がなんと亡夫・安儀とは警察時代の同僚仲本さんだった。

「地獄に仏とはこのこと」

と思った。

「あとでウチの詰め所まで来なさい」

と言われた。

しばらく休憩した後、胸をワクワクさせながら詰め所に行くと、仲本所長が待っていた。

知らされた安儀の戦死

「上江洲さん、ご苦労さんでした。大変でしたね」

「お陰さまで」

と文子も目を潤ませ、丁重にあいさつした。仲本さんは文子の顔をじっと見据えたまま、ポツリポツリと語り始めた。

「実は、あなたもよく知っている江田知信さんのことだが…」

「ああ、江田さんですか。ハイ、よく存じ上げております」

仲本所長の話によると、その江田さんが最近引揚げて来たが、彼の妻が再婚してしまった。傷心の彼は、宮古で警察署長をしている実兄の江田隆司さんを頼って宮古に帰ったという。

「どうでしょう。安儀君も戦死してしまったことだし、この際、江田君と結婚したらどうですか。もちろん子供たちも宮古に連れていって彼とやり直しの人生をやってみては。きっと子供たちも、自分の子同様に可愛がってくれますよ。手続きも私がしてあげる」

と親切に言ってくれた。

「もしや?」といういちるの望みを抱いて帰って来た文子は、ここで夫の戦死を肌で感じ取った。奈落の底に投げ込まれた思いである。もう生きていく望みもない。一歩々々足どりも重く、収容所長室を立ち去った。

「エロイ! エロイ! ラマ・サパクタニ!」

「我が神、我が神、なんぞ私を見捨て給うや」。イエス・キリストが十字架にかかり、まさに息絶えなんとした時、天に向かって絶叫した聖句(新約聖書マルコ伝15章34節)を思い出した。イエス様のあの受難の時のお気持ちがよく分かる。どうして神さまは私を見捨て給うんですか!

文子は、天を抑いで神を恨んだ。結局、姑もいることだし、子供たちはまだ手数のかかる小さい子ばかりですから」と丁重に断った。

収容所にいる間に、知人の具志頭得助さんがコザにいることが分かった。さっそく具志頭さんを捜し出して会い、今後の身のふり方について相談した。

「安儀の行方はわからない。まず生存の見込みはない」

と言う。

「私に出来る仕事はありませんか?」

と取りすがって尋ねた。

「そうよなあ、今の沖縄では、仕事といえば軍作業しかない。子供や年寄りを連れて一人で働いても養い切れるものではない。一応食糧の割りに豊かなヤンバルの名護まで行って、そこでよく考えてからまた来なさい」

と言う。淡い希望もうたかたのように消えた。重い足どりで名護までたどり着き、知人を頼ってカヤぶきの小屋に疲れた体を横たえた。

胸をつかれた安健の一言

その夜、夕食も済んで親子五人ゴロ寝した。ランプのほのかな明りに子供たちがワイワイ騒いだ。山鳥のけたたましい啼き声、カエルの不気味な声、風は寒く、すき間もる寒気に身を寄せ合って寝た。もう生きていく望みはない。「死ぬほかはない」と観念した。永久に望みのない、地獄の入口まで来てしまった。

その時である。五歳になったばかりの安健が天井を見上げたまま、元気な声で言った。

「かあちゃん、これぐらいの家ならボクでも作れるよ」

文子はハッと胸をつかれた。それはまさに天來の声のように思えた。わずか五歳の子がこんな健気なことを言う。絶望のどん底にあった文子の心にパッと一条の光が差し込んだ。死んではいけない。生きるんだ。この子たちが、あと二十年もすれば大きくなって、どんな家でも作ってくれるはずだ。どんなことをしても石にかじりついてもがんばろう！」

と決意した。

そこで、長男・安幸を小湾の仲西の謝敷という義姉の家に預け、安鍵と安明はコザの親戚宅に、弘子は名護においた。その時に八重山に行こうと決意した。ヤミ船で行くのだから子供たちは連れて行けなかったのだ。

料亭那覇を開業

日本国内で、敵が上陸して戦場となったのは沖縄県だけだった。文字どおり廃墟となった沖縄は米軍に占領され、軍政が布かれ、母国の日本から切り離され、〝太平洋の孤児〟となった。

その後、鹿島建設や清水建設、大林組などの本土大手ゼネコンが沖縄に進出し、活発に事業を展開した。米軍の一大プロジェクトが展開され、灰燼のなかから復興再建の槌音が起こった。

文子はその頃、那覇市の中心を貫流するガーブ川の河畔で「料亭那覇」を経営していた。毎週水曜には「水曜会」なるものが催され、本土ゼネコンを中心とする各土建会社の所長や幹部が集まり、親睦を兼ねた盛大な宴会を催すようになっていた。

東京に支店を開設

文子の経営する料亭那覇は昭和三十一年にガーブ川から現在の波之上に移転し、お店の経営もぐんぐん伸びて繁盛するようになった。昭和二十七年頃、水曜会の招きで文芸春秋社の池島信平編集長が「文春講演会」を沖縄で開催。文子の店にもやってきて親しく付き合うようになった池島編集長は、

「東京に支店を出してはどうですか」

と熱心に勧めた。文子は迷ったものの、子供たちの進学のこともあるのでその話に乗ることにした。

当時の沖縄で、子供たちを本土の大学へ進学させることは憧れの的だったが、本土への送金は上限額が決まっており、一人につき二、三十ドルしか送れなかった。夫が沖縄戦で戦死し、四人の子供と姑を抱えていた文子は、三人の息子と一人の娘をどのように進学させるか思い悩んでいた。

「私と同じ思いをさせたくない」。その気持ちが文子を後押しした。

まるで「鹿鳴館」のような東京支店

文子は清水建設の藤井氏の紹介で東京・日本橋霞町の飲食店を買い取り、昭和二十八年に料亭那覇の支店を開店した。開店披露宴は小石川の椿山荘（ちんざんそう）で盛大に開かれたが、そのうちお店も手狭になった。そこで、新橋駅西口にあった明治天皇の御馬車の御者がやっていた料理店「湖月」を買い取った。

土地柄もよく、沖縄の校舎建築の援助資金についての会合が再三開かれ、大田政作琉球政府主席の骨折りで、接待費としての政府予算をもらうことができた。

料亭那覇の芸妓たちが総理官邸で当時の鳩山一郎首相夫妻に初めて琉球舞踊を披露するなど、文子は「東京の支店は明治時代の『鹿鳴館』のような機能を果たしていた」と当時を振り返る。

本店全焼を乗り越える

料亭の経営は順調だったが、昭和四十一年の五月十四日、ベトナム帰りの米兵が再び戦場へ行くのを恐れ、刑務所に入りたいがために那覇の本店に放火。お店は丸焼けになり、三百名の女子従業員が路頭に迷う破目になった。しかし、文子はお金をどうにか工面して女手一つで本店を再建、半年後の十一月三日「文化の日」には再びお店を開くようになった。

盛大に古稀を祝う

沖縄の本土復帰が決まってからは、政財界の大物が連日のように大挙して来沖するようになった。料亭那覇は県内外の要人をもてなす接待の場として、沖縄随一の規模と栄華を誇る料亭に成長した。

昭和六十年には文子の古稀を祝う「報恩感謝の古稀祝い」が開かれ、郷里黒島や疎開先の大分県から多くの親戚や恩人を招いて、2日間にわたって盛大に催された。文子は、今の自分があるのも多くの人たちの支援や協力があってのものであり、その恩に報うためにその後の人生を捧げていくと心に誓った。

旧廿日正月まつりへの思い

じゅり馬行列に代表される「旧廿日（はつか）正月まつり」は、かつて辻むらで生活を営むじゅりたちが、商売繁盛・五穀豊穣を祈願した祭祀が始まりとされる。じゅりたちは琉球国王の命により、薩摩の役人や中国からの使者らをもてなす役割を担っていた。じゅり馬行列には、家族の生活を守るために辻むらに売らざるをえなかったわが子の姿をひと目見ようと、遠くからひっそりとその姿を見守る親たちの姿もあったという。

太平洋戦争における十・十空襲で辻むらは消滅したが、文子はかつてのじゅりたちの魂を鎮めたいと、いつもまつりの再興を考えていた。その思いは経営を継いだ三男・安明に託され、幾度かの散発的な開催を経て二〇〇〇年に本格的に復活。三百五十年の時を経て、安明が理事長を務める一般財団法人辻新思会の主催で毎年旧一月二十日に開催されている。

黒島で生を受け、久米島で幼少期を過ごし、辻で芸能の研鑽に励み、結婚、戦争、夫の死を乗り越えて「料亭那覇」を築き上げた文子。次から次へと絶え間なく押し寄せてくる苦難を、知恵と、強い気持ちと、周囲の人たちを包み込む深い愛情で乗り越えてきた。その半生は、一人の女性が天命に従って生きてきた証として、今を生きる私たちの胸に深く刻まれる。

上江洲文子略歴

大正二年三月十五日、父・奥間政次、母・マナシーの二女として黒島で出生。

大正四年、　久米島出身の奥間夫婦（父母とは縁籍関係なし）によって久米島に連れていかれる。三歳。

大正五年頃、久米島の養父、イカツリに出て遭難。八重山に漂着。四歳頃。

大正六年頃、父・政次マラリアにかかり西表島で死亡。五歳頃。

大正七年頃、母・マナシー再婚、異父妹生れる。六歳頃。

大正七年、　養父大東島に出稼ぎ。文子は子守に雇われる。六歳。

大正八年頃、小学校入学を条件に辻に売られる。百二十円。七歳頃。

大正十年、　松山尋常小学校入学。九歳。

大正十二年、沖縄で初の水着展示。文子三年生、十一歳。

大正十五年頃、黒島の実母が迎えに来て再会。五年生に進級したが、二学期で中退。十四歳頃。

昭和二年頃、玉城盛重氏の許で琴の稽古。踊りも習う。十五歳頃。

昭和三年三月、那覇市で開かれた国際婦人デーで演説。以来「演説マカテー」の異名あり、十六歳。

昭和四年頃、神学校入学を断念。十七歳。

昭和五年頃、　平尾喜一氏に身請される。弟・奥間政幸が工業学校に入学。十八歳頃。

昭和五年、　県下中等学校野球大会で県立一中と二中の応援団が激突。上江洲安儀と出会う。

十八歳。

昭和十年暮れ、　上江洲安儀と結婚。二十三歳。

昭和十一年、　東京の日本青年会館における琉球芸能公演辞退、同年長男・安幸出生。二十四歳。

昭和十二年、　安儀応召、二ヵ年軍務。

昭和十四年、　二男・安健出生。二十七歳。

昭和十五年、　長女・弘子出生。二十八歳。

昭和十七年、　夫・安儀と故郷黒島に行く。島の水事情解決のためほん走。三十歳。

昭和十八年、　三男・安明出生、三十歳。

昭和十九年、　戦火に追われ、山原へ疎開。四男・安雄出生、三十二歳。

昭和二十年、　嘉手納で正月を迎える。三十三歳。二月、一家大分県へ疎開。

昭和二十年五月、　四男・安雄大分の疎開先で死去（五ヵ月目）三十三歳。

昭和二十年八月から、　郷土出身復員兵とともに畑耕作。三十三歳。

昭和二十年、　竹田市公民館で郷土芸能公演。「伊野波節」を踊る。その頃、夫・安儀戦死の報伝わる。

三十三歳。

昭和二十一年十二月、　沖縄帰還。三十四歳。

東京で稼ぐなはの女将《マダム》

ゼネラル・モーアや極東軍司令官レムニッツアー大将などアメリカの高官連もヒイキ客

別名　東京領事館

東京の新橋といえば、昔からその嬌名も高い新橋芸者のホーム・グランドである。その新橋で汽笛一声どころか、百声も千声も声高らかにトバルマを歌い、鳩間ぶしを踊る料亭がある。それが「琉球亭・なは」である。

新橋駅から歩いて一分、都心中の都心、土一升金一升の一等地で、その館は、明治の時代から時の顕官政客をほしいままに扱ったという名亭〝湖月〟である。

一昨年十一月なはの女将上江洲文子さんはこの由緒深い〝湖月〟を買い取り、人形町の〝なは〟を新橋に進出させた。

格式高い新橋見番の芸者やお女将達は、眉をひそめ、この沖縄の田舎者に何が出来るかとかげで笑い合っていた。

ところがあれから一年半、笑われた〝なは〟は、新橋南北の見番がアレヨ〳〵と目をみはるうちに押しも押されもしない、新橋一の名亭〝なは〟にのし上ったのみか、東京の新名物に数えられる程有名になった。

新橋芸者の三味線の鳴らない日はあっても〝なは〟の蛇皮線の鳴らない日はない。しかも客すじは、今をときめく現役の政府高官から政党幹部、政商、豪商、芸能人といった案配で、新橋駅前のお巡りさんも、料亭〝なは〟の所在を聞く大物に時々不動の姿勢をとらされるとこぼしている。

東京の人は、政府駐日代表部(ミッション)や南連は知らなくても、琉球亭〝なは〟は知っている。いわば〝なは〟は沖縄の民間領事館で、結構民間大使の実績をあげ沖縄のためにつくしている。

鳩山老首相の前で踊ったのも、秩父宮妃殿下の御前に舞ったのも、テレビに出演するのも〝なは〟の女子衆で、この面でも立派な文化使節である。

東京で沖縄の話をするとき決ったように、大和ンチューは新橋の〝なは〟を知っています、と得意そうに話してくれる。

各地で催される沖縄展に数々の郷土品を出品するのも〝なは〟であり、泡盛や琉球料理を東都の人に賞味させたのも〝なは〟の功績で、女将上江洲文子はやがて琉球政府から大きな勲章をもらうだろう。

シネスコ版〝夜の蝶〟

映画や小説で〝夜の蝶〟というのがあった。関西と東京を飛行機で往復しているマダムを一躍有名人にしたが、吾が〝なは〟のアンマーは関西どころか沖縄と東京を股にかけて飛行機で往復している。夜の蝶の往復が一万円なら〝なは〟のアンマーの飛行賃は七万円だ。すでに七倍の大きさがある。夜の蝶が三十五ミリなら、〝なは〟のマダムはシネスコ版だ。そのうち〝黒潮の鷲〟なんていう小説を沖縄の作家が書いて芥川賞をもらうかもしれない。

十年あまり前、金武湾のカヤブチヤーでホワイトビーチ華かなりし頃の戦果ドライバーを上得意としていたマダムが、波之上に数千万の〝なは〟をつくり、新橋に東京店をつくるとあっては隔世の感なきにしもあらずだが、実績が語るようにマダム文子にはそれだけの気宇と才能があったわけだ。

両店合わせると従業員二百名という大世帯だ、その辺の青二才に出来る芸当ではない。金武湾のカヤブチヤーの板の間で、ソーセージの缶詰と、入手経路不明の洋酒で客を呼びたころから彼女は今日の夢を画いていた。

長男が嫁を迎えやがて孫も出来るであろうがこのオバアチャンはまだ水もしたゝるように若い。パーマをかけイヤリングとネックレスで飾り、高いハイヒールをはいてさっそうと羽田空港に降り立つ勇姿(?)はまさに南国の女傑のつややかさだ。

その容姿の若さと外交手腕と商売のうまさが〝大なは〟を支える秘訣である。

雰囲気で売るカラスグワー

明治の名亭"湖月"は"なは"とかわり　夜ごと流れる蛇皮線の音色とともにいつのまにか新橋花柳界の名物となってしまった

文子の東京での活躍を紹介するオキナワグラフ 1958年8月号より

になるだろう、おそらくB円の二十円にもなるまい。ところが東京の〃なは〃ではこれが二百円にも三百円にも化けてくれる。この三品は二十円でも、これを盛る平たく長い口取り皿は数千円もする。この皿にもられた三品はまさに南海の珍品という趣向だ。

東京から沖縄まで買いに行く価値がチャンと算盤計算に仕込まれているわけだ。お客は自分が買いに行ったら、とてつもなく高くつくだろうと考えて、この三百円を気まえよく払ってくれる。広東の名果レイチーを求めた揚貴妃の心理をねらった作戦だ。

目の玉のとび出るようなカラスグワーにも随喜の涙をこぼす旦那方がいるからといって何も東京が広いわけではない。

豆腐ヨウのひとかけらを賞味していると、合の手に目のめるような紅型の襦袢、花笠をかぶった南国の美女が蛇皮の音につれてエキゾチックに踊り出す。蛇皮線、太鼓、衣裳、踊り手、歌、踊り、何もかもこの紳士には珍らしいものばかりだ。脇息にもたれてクバ団扇を使いながらながめていると竜宮に遊んだような、淡い錯覚におちこむ。

しかもその部屋の名前はカリユシという。くだんの紳士はこのひとときの南国情緒に満足して気前よく財布の底をはたいてくれる。

で買えないような美味に変化するところに商売の秘密がある。

要約すると〃なは〃のマダムは沖縄料理の最もおいしい食べさせ方を心得ているわけだ。そのためには部屋の装飾、家具、調度に至るまで微に入り細にわたって気をつかい、皿小鉢にいたるまで、お客様がこれ以上のものは探せないと、ひとり合点するような逸品を揃えている。

ラフテーで世界征服の夢

次に外交手腕の秘密だ。

接客のコツは人を恐れないことだ！　と彼女は若い娘に教える。この点マダムの心臓の強さはおあつらえむきに出来ている。

天下の有名人であろうと堂々と近づく、そうして一度名刺を通じれば、明日からは百年の知己にしてしまう。この点は彼女の独壇上だ。ある時郷土紙の東京総局長が公開の席上で同席した。局長氏はその日の主賓である式場隆三郎博士に面識がない。それでマダムに紹介の労を願った。心よく引受けたマダムは彼を博士の前に連れていき、名刺を出そうとする局長氏を抑えていったものだ。

「先生紹介申上げます。これがウチの秘書ではその後、博士の前に出ることが出来なくなったとこぼしている。

これもマダムが得意とする戦法の一手だ。

時にはウシンチー姿で銀座の一流キャバレーに乗り込み、万座を刮目させたり、洋画をみたり、野球場のナイターにおでましになったりして、東京の生活を見、そこから東京人が何を欲しているか絶えず研究するほど商売熱心でもある。

四〇万人の沖縄女性の中で、誰がよく銀座の大デパートで借り買いが出来るものがあろうか？　まことに匹見出来ない女将である。

孫も出来ればやがて楽隠居といいたいところだろうが、どうして〳〵女将の夢は虹のようにはてしもなくひろがり、東京の稼ぎももりもりと盛りあがるだろう。

〃八月十五夜の茶屋〃ではないが本場の沖縄色を太平洋をこえてニューヨークやワシントンにまで持っていきたいのが本音ではないだろうか。彼女の夢はラフテーで世界を征服することだ。

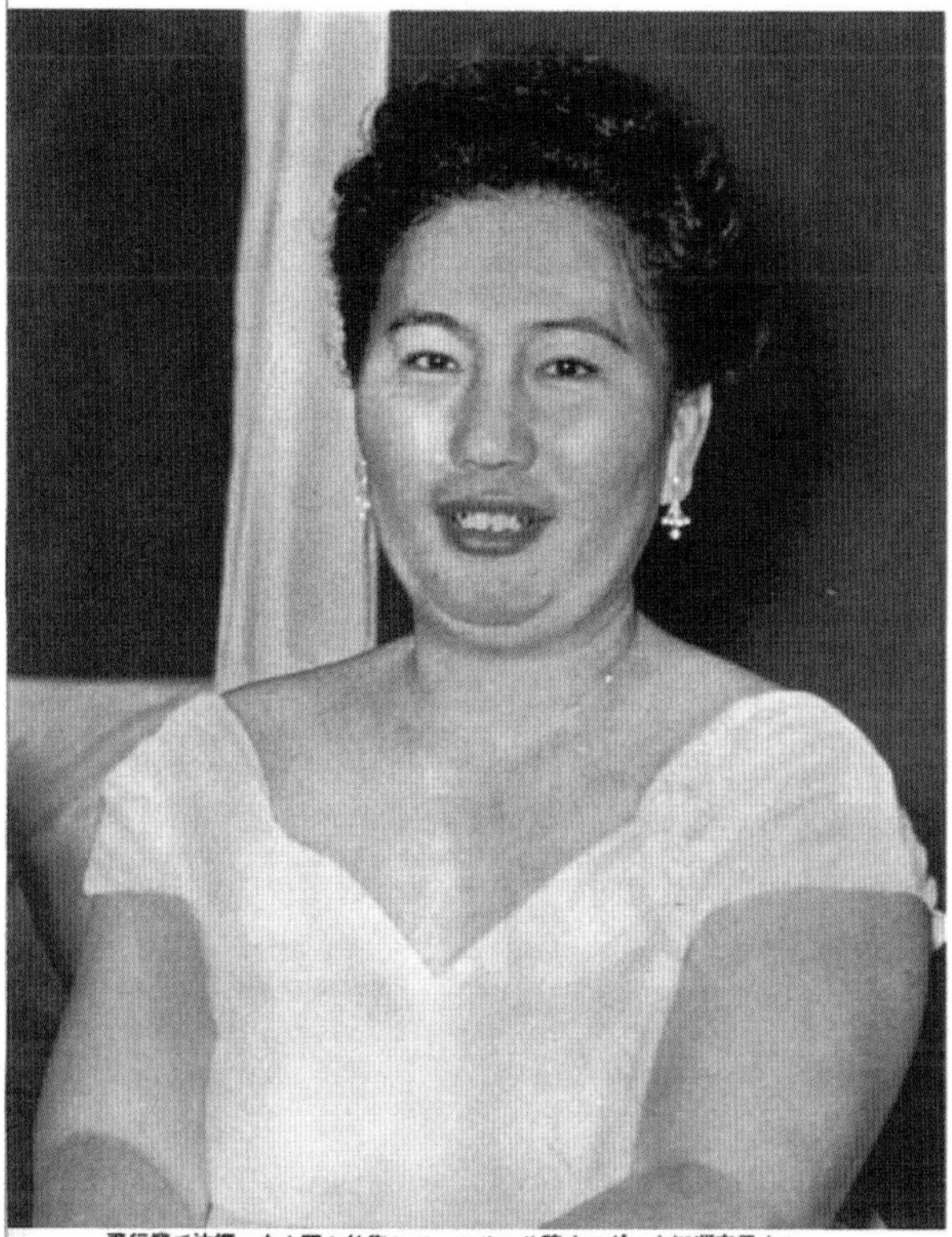

飛行機で沖縄・本土間を往復して　モリモリ稼ぐマダム上江洲文子さん

今宵の客は全国のプロレス・ファンを湧かす力道山
中のマダムは蛇皮線をひいてサービスを相つとめてい

RESTAURANT 'NAHA'

The 400,000 women of Ryukyu can be proud of Madame Fumiko Uezu —an Okinawan woman who has made a success of herself in the heart of Shimbashi, one of Tokyo's most competitive business section. Mrs. Uezu is the owner and operator of the famous restaurant 'Naha' which is daily patronized by top Japanese government and business leaders. It was only a year and a half ago that this aggressive, enterprising woman opened up her establishment in Shimbashi. Today, her restaurant and the many exotic Okinawan maidens who work there are playing an important role as Ryukyu's civilian diplomats in Tokyo. Situated near Shimbashi Station, Restaurant 'Naha' specializs in an all-Okinawan cuisine complete with Okinawan tableware, furnishings, and jamisen music. But perhaps the restaurant's main attraction is Madame Fumiko herself. A talented woman, Madame Fumiko has personally performed Ryukyuan dances in front of many famous people, including Princess Chichibu and former Premier Ichiro Hatoyama.

「ユイ　ユイ　ユイ」の軽快なテンポのかけ声で練り歩く艶やかなジュリ馬

旧暦一月二十日（ハチカソーグヮチ）に催されるジュリ馬行列が十二年ぶりに復活、二月二十七日午後、那覇市辻一丁目から二丁目一帯で行われた。琉球民謡協会、琉球舞踊研究所、琉球國まつり太鼓など、七百人余りが参加した。長雨続きのなか、この日は晴天に恵まれ、絶好の祭り日和り。

行列は銅鑼と爆竹の音で始まり、色鮮やかな衣装に身を包んだ大ムイメーを先頭に王女や側女らによる演舞、四つ竹群舞、マミドーマ群舞が次々と披露された。そして、ジュリ馬では馬首を型どった板を前帯にはさみ、色鮮やかな紅型衣装で着飾った琉装の女性らが「ユイユイユイ」とテンポ良い掛け声を上げて練り歩いた。

総勢七百人余りの女性による優美な舞は琉球王朝ロマンをかきたて、会場は拍手とシャッター音が絶えなかった。

ジュリ馬行列は旧暦一月二十日に行われる習わし。遊女らによるジュリ馬行列は昔の辻遊郭の豊年祈願と商売繁盛の祈願祭だが、いつごろから行われるようになったかは定かでない。那覇市の三大祭りのひとつに数えられ、「オキナワグラフ」の表紙を飾ったこともある。しかし、資金難などで一九八九年から中止になっていた。

十二年ぶりの復活とあって、会場一帯には万余の市民や観光客らが詰めかけ、繰り広げられる琉球王朝女絵巻を存分に楽しんだ。

ジュリ馬行列が12年ぶりに復活

優美な舞が観客を魅了

⬆色鮮やかな紅型衣裳に身を包んだ王女（右三人）と側女たち

ジュリ馬ぬスネー（由来）

ふまりめでたや　正月《ソーグヮチ》ぬ白馬（赤馬）
ゆたし身分や　花ぬ代《でぃ》ぬ由来
錦ぬちんらん　長者になやい
踊るユイ・ユイユイユイ
かりゆしぬ姿　親に見しる

本格的な「じゅり馬行列」の復活を伝えるオキナワグラフ 2000年4月号より

➡大ムイメーの優雅な演舞

⬅伝統の「四つ竹」の群舞

➡琉球國まつり太鼓が祭りを盛り上げる

⬆王女三態

「オキナワグラフ」一九五八年五月号の表紙を飾ったジュリ馬

料亭「那覇」でジュリ馬を楽しむ米高官の夫人たち「オキナワグラフ」1961年5月号

⬇舞台には出演団体が次々と登場、観光客ら見物の人たちが盛んにシャッターを切っていた。

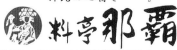

天命に生きて
―上江洲文子 波瀾万丈の半生―

発 行 日　2022年8月31日
著　　者　徳田 安周
発 行 者　上江洲 安明
発 行 所　有限会社 料亭那覇
沖縄県那覇市辻 2-2-11
TEL.098（868）5577
挿　　絵　安室 二三男
加　　筆　鬼塚 典匡（新星出版株式会社）
画像提供　新星出版株式会社 オキナワグラフ編集部
発　　売
制作・印刷　新星出版株式会社
沖縄県那覇市港町 2-16-1 2F
TEL.098（866）0741

本書は徳田安周氏「沼に咲く花」に加筆／修正したものです。

ISBN978-4-909366-98-6　C0095
万一、落丁・乱丁の場合はお取り替えいたします。
定価はカバーに表示してあります。